GUIDE
DU SPIRITISME

GIOVANNI SCIUTO

GUIDE DU SPIRITISME

FRANCE LOISIRS
123, Boulevard de Grenelle, Paris

Édition du Club France Loisirs, Paris
avec l'autorisation des Éditions Jacques Grancher

© **1991, by Jacques Grancher, Éditeur, Paris.**
ISBN 2-7242-7040-1

A tous ceux dont les *présences invisibles* me donnent la conviction que les attachements profonds terrestres survivent à la mort.

TABLE DES MATIÈRES

I

LES PRÉCAUTIONS A PRENDRE

— ... Est-ce que Silvia et moi allons nous marier en septembre prochain, comme prévu ?

Les coups frappés sont interprétés par la dame sur la soixantaine qui conduit la séance, dans un appartement de Catane (Italie), au printemps de l'année 1945 :

— Non, vous ne serez jamais mari et femme.

Furieux, le fiancé écrase le poing sur le guéridon et l'injurie, comme s'il s'agissait d'un être humain :

— Menteur ! Tu n'es qu'un sale menteur !

Aussitôt, le guéridon se soulève à environ un mètre du sol et percute le jeune homme, qui prend la fuite, mais sera poursuivi et copieusement rossé, jusqu'à ce qu'il réussisse à quitter la pièce.

Au milieu des années soixante-dix, deux auteurs dramatiques, Victor Haim et Eric Westphal, ainsi que leurs femmes, passent la soirée chez un comédien appelé à devenir célèbre : Gérard Depardieu !...

Après le dîner, le maître de maison révèle à ses invités .

— Le spiritisme me passionne. Si vous le voulez, je vous prouve qu'on peut réellement dialoguer avec les morts.

A l'unanimité, la proposition est acceptée et l'épouse de Victor Haim avoue :

— Mon frère est mort récemment. Pouvoir entrer en contact avec lui serait une immense consolation...

La séance commence. Elle pose les questions en suédois, sa langue maternelle, de sorte que les autres ignorent pourquoi, après chaque réponse, ses traits s'assombrissent de plus en plus.

Lorsque, pour la quatrième fois consécutive, deux coups signifiant un « non » catégorique se laissent entendre, elle finit par pleurer et Martine, la femme d'Eric Westphal, se lève brusquement, pour annoncer :

— Moi, j'en ai assez. Je croyais que nous allions nous amuser. Mais, là, ce n'est pas drôle du tout !

Sur ce, elle s'éloigne. Au début d'un pas normal, puis en courant, car la *table parlante* la talonne, par un déplacement horizontal qui ne prend fin qu'après un parcours de six ou sept mètres, lorsque la jeune femme parvient à trouver refuge sur le balcon de la pièce voisine, derrière une porte étroite empêchant le passage du meuble.

En juin 1990, la vendeuse Lise T., 22 ans, aimerait savoir quelle tournure va prendre sa vie sentimentale et se rend au Quartier latin, chez une amie qui a l'habitude d'*interroger les esprits*, par le truchement d'un verre à pied.

Au début, tout va bien. Les mots qui se forment grâce au va-et-vient du verre sont rassurants, et laissent espérer un avenir radieux. Mais voici que Lise s'avise de demander :

— Demain, est-ce que ça vaut le coup d'aller au Bon Marché, pour les soldes ?

Le verre ne bouge pas.

Agacée, Lise s'exclame :

— Alors ?... C'est oui ou non ? Réponds-moi !...

Et, non sans impatience, elle prononce le mot de Cambronne.

Subitement, à une vitesse vertigineuse, le verre décrit plusieurs cercles au-dessus de la feuille où s'alignent les lettres de l'alphabet, puis termine sa course folle en s'écrasant contre le bougeoir en étain placé sur la table...

COMMENT ÉVITER
INCIDENTS OU DRAMES

En guise d'introduction, les trois cas qui viennent d'être évoqués, enseignent qu'au cours d'une séance de spiritisme toute attitude irrévérencieuse risque de donner lieu à des incidents plus ou moins graves et peuvent avoir des conséquences fâcheuses. Les témoignages qui font état de traumatismes psychiques ou physiques fort préjudiciables ne manquent pas. Mais restons-en aux protagonistes des mésaventures relatées dans les pages précédentes...

Le fiancé de Silvia dut attendre plusieurs semaines avant la disparition complète des hématomes dus à son « châtiment corporel », mais aussi se soumettre à un traitement d'orthophonie, pour enrayer le bégaiement chronique que l'effroi avait provoqué en lui.

Martine, elle, allait frôler la dépression nerveuse pendant un bon mois.

Quant à Lise, si la peur éprouvée ne la marqua pas trop, elle regrette encore aujourd'hui sa « vilaine provocation » puisqu'un débris de verre l'a blessée à la joue gauche, laissant une petite cicatrice indélébile.

BANNIR LES PROPOS OU LES ATTITUDES ARROGANTS, AGRESSIFS EST DONC UN IMPERATIF. Du moins dans la plupart des cas : à condition de posséder des *dons médiumniques** exceptionnels, une assurance à

* Nous en parlerons plus tard.

toute épreuve et une expérience étalée sur plusieurs années, certains peuvent se permettre en effet de prendre quelques libertés...

Un exemple ? Sans que cela se solde par des « représailles » plus ou moins spectaculaires, j'ai vu la comédienne **Arlette Didier** conduire des séances ponctuées d'exhortations dictées par l'impatience (« Grouille-toi, espèce de fainéant, réponds ! » ou « Assez de sornettes, déballe ce qui nous intéresse ou décampe ! », etc.).

LE PRINCIPAL

Mais si, parfois, l'absence d'une politesse irréprochable peut ne pas troubler le cours normal des choses, il y a une précaution indispensable à prendre pour bien mener une séance : *se trouver en des conditions psychiques et physiques optimales !*

Parce que les risques sont grands. Abstraction faite des blessures et (ou) perturbations pouvant résulter de quelque manifestation inattendue, à la fois brutale et terrifiante, une séance de spiritisme est susceptible de nous nuire, et ceci de par sa nature particulière...

L'argument préféré des détraqueurs du spiritisme était d'ailleurs et est toujours celui de lui attribuer la cause de troubles mentaux pouvant épouser tantôt l'aspect d'un ébranlement relativement bénin, tantôt prendre la forme d'une tendance suicidaire ou trahir le déséquilibre psychique par d'autres symptômes négatifs.

UN CAS CÉLÈBRE

Lors de son exil à Jersey, en compagnie des membres de sa famille et de nombreux amis, Victor Hugo s'adonnait régulièrement à la pratique du spiritisme. Puis, l'un des participants, Jules Allix, fut subitement victime d'une crise de folie et dut être hospitalisé. Voilà pourquoi, bouleversé à juste titre, Victor Hugo prit la décision irrévocable de ne plus compter parmi les adeptes des *tables tournantes*.

DES « NUANCES »

En réponse à ces accusations — pour ainsi dire quotidiennes au cours de la deuxième moitié du siècle dernier — Allan Kardec, le maître et codificateur mondialement vénéré du spiritisme, mettait en relief le fait que les troubles mentaux pouvaient être constatés uniquement chez des personnes

— soit congénitalement prédisposées à en avoir

— soit rendues vulnérables à l'issue de l'amoindrissement momentané de leur « résistivité » psychique.

Aujourd'hui tous ceux qui font preuve d'objectivité arrivent à la même conclusion comme par exemple le professeur **Fernand Schwarcz*** :

— Il est incontestable que la pratique du spiritisme produit parfois des perturbations. Mais, en les étudiant de près, nous découvrons qu'elles s'expliquent, essentiellement, par la fragilité du système nerveux du sujet, que cette fragilité soit motivée ou non par des facteurs héréditaires.

« Indépendamment de ceci, des problèmes peuvent aussi surgir d'une préparation psychologique inadéquate ou encore par la diminution, ne serait-ce que momentanée, des ressources d'autodéfense de l'individu concerné... »

UNE SORTE DE SOMNAMBULISME

Le professeur F. Schwarcz poursuit :

— Je ne citerai que le plus frappant des exemples dont

---

* Chargé de cours à l'Ecole d'Anthropologie de Paris, enseignant en Ressources Humaines dans les Ecoles Supérieures de Commerce et de Gestion, Président fondateur de l'Association Nouvelle Acropole France et auteur de divers ouvrages, dont « *Initiation aux Livres des morts égyptiens* » (Ed. Albin Michel) et « *Les Traditions de l'Amérique Ancienne* » (Ed. Dangles).

il m'a été donné de prendre connaissance directement. Il s'agissait d'un jeune médecin parisien épris de sciences occultes. Il participait couramment à des séances de spiritisme. Le procédé utilisé était celui des tables dites tournantes.

« Vers le milieu des années quatre-vingt, à une époque où il souffrait de surmenage, une sorte de somnambulisme s'est emparée de lui. Sans en avoir conscience, au début uniquement la nuit, mais peu à peu également le jour, il lui arrivait fréquemment de s'éloigner de son domicile et d'accomplir des actes insensés. Un internement semblait s'imposer. Puis, la cessation des pratiques de spiritisme et, en même temps, la séparation d'un objet rituel africain en sa possession, ont suffi pour mettre un terme au comportement pathologique.

« Evidemment, le concours de l'autosuggestion peut être présumé. D'autant que l'objet africain en question était censé être maléfique. Il est cependant intéressant de le noter, les anomalies sont apparues à un moment qui coïncidait avec l'affaiblissement considérable de l'organisme. »

AGRESSIVITÉ INOPINÉE

Le récit de la relaxologue **Rose Lambert**, de Paris est également signifiant :

— En 1979, avec parents et amis, je passais mes vacances d'été à la campagne. La maison où nous étions était vieille et isolée, elle se prêtait à ce que nous y fassions du spiritisme...

« Un jour, sans crier gare, Jeannine est venue nous rejoindre. Cette amie de longue date avait fait un voyage éprouvant en voiture et paraissait très fatiguée, mais insistait pour participer à une séance dès l'heure qui suivait son arrivée. Bon, nous n'avons pas voulu la contrarier...

« En réponse aux questions posées par moi, nous captions les messages normalement, comme les autres soirs. Puis, Jeannine s'est brusquement énervée. Elle s'est mise à me reprocher la " monopolisation " de la séance. Je lui ai alors dit qu'elle pourrait poser des questions à son tour, un peu plus tard. Elle fit la sourde oreille, devint de plus en plus agressive, menaçante et même méconnaissable, allant jusqu'à m'injurier, d'une voix qui paraissait ne plus être la sienne. Ayant pris peur, craignant de la voir passer à un acte de violence, nous nous sommes empressés d'arrêter la séance.

« Le lendemain matin, après huit heures de sommeil, Jeannine nous a retrouvés au petit déjeuner, douce et gentille, comme nous l'avions toujours connue. Et, à notre immense surprise, elle n'avait pas le moindre souvenir de ce qui s'était passé !... »

RENFORCER LE BOUCLIER

Même s'il est moins impressionnant que le précédent, ce témoignage confirme la *NECESSITE DE S'ABSTENIR EN CAS DE FATIGUE*.

On pourra objecter, évidemment, que bien de personnes ne se rendent pas compte de leur vulnérabilité, ont l'impression d'être capables d'assumer une situation pouvant devenir critique. Ce n'est, là, qu'une raison supplémentaire pour faire toujours très attention, pour ne jamais prendre de risques.

En somme, même si nous avons la sensation d'être en bonne forme, il est prudent, avant une expérience, de nous reposer un peu, pour bien nous détendre (les exercices de relaxation peuvent, ici, être de grande utilité). Une telle mesure de précaution renforcera le bouclier dont notre organisme a absolument besoin lors de l'exploration du monde exaltant mais parfois menaçant que recèle le spiritisme...

SACRILÈGE

Au siècle dernier, en Occident, l'opinion publique avait tendance à considérer comme jeux de société les divers procédés destinés à *établir un contact* entre les vivants et les morts.

Il en est ainsi encore aujourd'hui. D'autant que, suivant l'exemple donné par les Etats-Unis, de nombreux grands magasins européens vendent désormais, eux aussi, les oui-ja, ces planchettes conçues pour la *consultation des esprits*, qui étaient disponibles, par le passé, dans les seules boutiques spécialisées, les librairies ésotériques en particulier.

Et, pourtant, classer le spiritisme dans la catégorie des moyens de distraction fait montre d'une grande bêtise.

Croyants ou athées, ne voyons-nous pas un crime dans la profanation des sépultures ? Au même titre, que nous soyons persuadés ou non de l'immortalité d'une essence invisible de nous-mêmes, celle communément nommée l'âme, nous manquerions du plus élémentaire respect de la mémoire des défunts si nous assimilions aux jeux des procédés censés « faire parler les morts ».

Indépendamment d'un tel critère, le spiritisme ne devrait jamais être confondu avec les inventions ludiques, parce que ses adeptes les plus authentiques* procèdent avec le but fondamental de s'instruire sur les problèmes cruciaux de l'existence, de se perfectionner moralement et spirituellement, de se détacher des préoccupations matérielles, pour pouvoir s'élever jusqu'au GRAND MYSTERE DE L'UNIVERS...

Quoi qu'il en soit, une chose est certaine : *les ennuis sont très peu fréquents ou même inexistants chez ceux qui abordent le spiritisme comme s'il s'agissait d'un rite religieux.*

---

* En France, ils sont regroupés au sein de l'Union Spirite Française et Francophone (1, rue du Docteur-Fournier, 37000 Tours).

LES DANGERS DE L'ACCOUTUMANCE

Mais l'objectivité oblige à admettre qu'existent effectivement des traits communs entre les jeux de société et les procédés les plus répandus du spiritisme. Car, les uns comme les autres exigent :
— plusieurs participants ;
— une grande concentration, une attention soutenue ;
— un contexte propice (absence de bruits et de tout autre facteur pouvant distraire les assistants).

La similitude s'arrête là, sauf si nous faisons entrer en ligne de compte l'analogie sur le plan des dangers de l'accoutumance. Cependant, alors que le bridge, le poker, etc. représentent une menace éventuelle pour notre bourse (la passion du jeu ne produit des ennuis de santé qu'incidemment), la pratique suivie et, à plus forte raison, excessive du spiritisme peut aboutir à l'asthénie tout comme à des affections psychosomatiques diverses voire dans les cas les plus extrêmes, à l'aliénation mentale proprement dite.

Et la question se pose : pourquoi notre organisme succombe-t-il aux maux que l'assiduité ou les abus provoquent pour ainsi dire inéluctablement chez les nombreux expérimentateurs du spiritisme, surtout si ceux-ci sont hypersensibles ou de constitution nerveuse fragile ?

Eh bien, selon les uns, ceci serait dû à des causes classiques (réactions à la rude mise à l'épreuve des facultés psychiques et du système nerveux).

Mais, selon d'autres, tout s'expliquerait par...

L'ÉNIGME

Au début des années quatre-vingt, la presse espagnole attirait l'attention sur le cas d'une jeune fille qu'il était difficile de supposer atteinte d'une « banale » schizophrénie. A l'issue de l'usage de l'oui-ja, non seulement elle présentait les symptômes courants d'une scission de la personnalité, mais encore s'exprimait-elle avec la voix d'un homme d'âge mûr. Son entourage familial la fit se soumettre à l'exorcisme, et une guérison immédiate s'ensuivit, si l'on en croit les articles publiés par des journaux ne pouvant pourtant nullement être suspectés d'être à la solde du Vatican.

A la même époque, d'autres incidents et drames semblables se produisirent en Espagne, spécialement chez les jeunes. Voilà pourquoi les autorités compétentes finirent par interdire aux grands magasins la vente des oui-ja...

À TORT OU À RAISON

Nous le savons, la médecine moderne a réussi à cumuler les évidences quant à la nature purement et simplement psychopathologique des anomalies attribuées à la « possession diabolique ».

Mais, depuis peu d'années, tout en excluant l'éventualité d'une action exercée par Satan ou par d'autres éminences de la hiérarchie infernale, certains médecins arrivent à la conclusion : les déréglements psychiques en question pourraient être l'œuvre d'*énergies cosmiques inconnues...*

Et, ce qui est encore plus révolutionnaire, ils estiment que lesdites énergies pourraient émaner d'*entités désincarnées,* c'est-à-dire des fameux esprits dont la réalité a toujours été farouchement niée par les rationalistes.

Ainsi, après m'avoir évoqué le cas de son ami médecin victime d'une « sorte de somnambulisme », le professeur Fernand Schwarcz a-t-il ajouté :

— A tort ou à raison je pense que l'hypothèse de l'incrustation d'une *larve du bas astral* est à retenir...

SUR LES TRACES DE LA PENSÉE ORIENTALE

En effet, s'inspirant d'un enseignement originaire de l'Inde, de nombreux spiritualistes de l'Occident partent aujourd'hui du principe que pourraient exister, dans un monde parallèle au nôtre, des entités désincarnées de catégorie supérieure, intermédiaire, ou inférieure, qui ont déjà connu une ou plusieurs vies dans l'étui charnel d'un être humain et qui, pour atteindre l'état de perfection suprême (le *Nirvana*), seraient appelées à faire l'objet d'une ou plusieurs réincarnations ultérieures, selon le degré de leur évolution. Les moins avancées d'entre elles, celles de la catégorie inférieure (les larves du bas astral, précisément) seraient les responsables des « accidents de parcours »...

Car, chargées du vécu d'hommes ou de femmes aux bas instincts, méchants, cupides, etc. (ou même coupables de crimes), ces entités de catégorie inférieure seraient encore trop attachées au contexte terrestre, au point de vouloir le réintégrer avant que l'heure en soit venue. D'où leurs tentatives de réussir une réincarnation anticipée, notamment par le biais de la « possession » de l'un ou l'autre de nos semblables...

L'énigme

Le danger ne viendrait d'ailleurs pas uniquement de la pratique du spiritisme. Les « larves du bas astral » pourraient, paraît-il, passer à l'action également en d'autres circonstances, chaque fois que, par sa vulnérabilité, un être humain leur en offrirait l'occasion.

Pour illustrer une telle éventualité, le professeur Fernand Schwarcz m'a fait le récit suivant :

— ... Nous visitions le temple de Hathor, à Denpher. A un moment donné, l'un des touristes de notre groupe, un cadre parisien proche de la quarantaine, a eu une violente secousse, comme sous l'effet d'une décharge électrique. Puis, il a vacillé. Je craignais qu'il s'effondre, chose finalement compréhensible, puisque la chaleur était à son comble et que, depuis le début de notre voyage, son manque de dynamisme s'était déjà manifesté à plusieurs reprises. Voulant le soutenir, je me suis donc vite rapproché de lui. Mais, déjà, il se redressait et, après avoir repris son souffle, se mettait à parler.

« Surprise !... Lui, qui n'avait jamais mis les pieds auparavant en Egypte et ignorait tout du passé lointain de ce pays, se montrait à présent capable de nous " éblouir " par un discours digne du plus érudit des guides. Non seulement il nous fournissait une description détaillée et convaincante de l'aspect original du temple réduit en ruine qui nous entourait, mais encore évoquait-il brillamment les rites qui y avaient été jadis accomplis.

« Malheureusement, ce n'est pas tout. Au cours des heures et des jours suivants, ses réactions devinrent inquiétantes, incompatibles avec son éducation, son tempérament, et sa ligne de conduite habituelle...

« Après notre retour en France, la situation n'allait qu'empirer. Il donnait l'impression de se trouver en antagonisme constant avec le monde contemporain.

« Progressivement, les signes d'une véritable manie de persécution sont apparus chez lui. Le traitement médical étalé sur presque une année devait apporter une nette amélioration, mais pas la disparition définitive des troubles.

« Il y avait ainsi de quoi supposer que, mettant à profit l'affaiblissement de son organisme, une larve du bas astral s'y soit introduit, une larve qui, du temps de sa précédente incarnation, avait eu pour habitacle le corps d'une personne vivant dans l'Egypte des pharaons... »

LA DÉDUCTION

Le professeur F. Schwarcz ajoute :

— Il faudrait être de mauvaise foi pour rejeter péremptoirement l'éventualité de cette cause profonde de la perturbation. Parce que, grâce à des moyens d'investigations scientifiques, le nombre des éléments réunis qui paraissent confirmer le bien-fondé ne serait-ce que relatif de la vision offerte par la métaphysique la plus archaïque — celle reflétée par les croyances toujours en vigueur chez certaines ethnies primitives de l'Afrique, de l'Asie, de l'Océanie, de l'Amérique du Sud — est patente.

« Rappelons-le, une telle vision nous donne l'image d'un univers où tout possède un esprit indestructible, aussi bien l'être humain que chaque spécimen des mondes animal, végétal et minéral, sans oublier les substances à l'état gazéfié ou liquéfié.

« Or, les données à disposition de la science moderne laissent présumer aujourd'hui plus que jamais la réalité de présence d'énergies ou de formes vibratoires " éternelles " au sein de chaque parcelle de l'univers.

« Et qui nous dit que ces énergies ou formes vibratoires ne renferment pas en elles-mêmes l'explication de certains phénomènes que notre science n'a pas encore réussi à élucider ?

« C'est vrai, pour le moment, nous ne pouvons ni affirmer ni nier catégoriquement la déduction qui semble s'imposer. Mais, d'ores et déjà, nous n'avons aucun droit de considérer comme absurdes les convictions et les pratiques des chamans ou sorciers, qui perpétuent la tradition de convoquer tantôt les " esprits des ancêtres ", tantôt les " esprits sacrés " des forces de la nature ou encore de tel ou tel animal, arbre, métal, etc., et ceci parce qu'ils les croient dotés d'une conscience leur permettant de se manifester, de s'exprimer...

« Et puisqu'il en est ainsi, nous ne pouvons pas, non plus, être certains de l'incongruité de la théorie d'après laquelle lesdits esprits pourraient produire des effets de l'ordre de ceux qui se traduisent par la modification brutale et étrange du comportement humain, que ce phénomène soit accompagné ou non du changement de la voix, de l'agressivité et d'autres particularités tradition-nellement considérées comme " preuves " de la présence de quelque puissance maléfique... »

Peut-être, un beau jour, l'énigme sera-t-elle résolue. D'ici là, il importe finalement peu de savoir si l'au-delà provoque des chocs se soldant, parfois, par des symp-tômes proches de la maladie mentale ou d'une perturba-tion psychologique, si l'irruption d'une *larve du bas astral* ou la *possession diabolique* sont de l'ordre du possible.

En attendant que la science parvienne à y voir clair, *L'ESSENTIEL EST DE RESTER SUR SES GARDES*, notamment en tenant toujours compte des recommanda-tions qui ont déjà été ou vont encore être faites dans ce livre.

II

LES PARTICULARITÉS

L'APTITUDE

La pratique le démontre, le spiritisme est sans danger pour ceux qui :
— bénéficient d'une bonne santé ;
— sont exempts de toute fatigue ;
— n'ont pas souffert de problèmes nerveux ou psychiques dans un passé ni récent, ni lointain ;
— observent une attitude de déférence au cours de la séance ;
— savent éviter accoutumance et abus ;
— possèdent une forte personnalité et (ou) se montrent capables de maîtriser leurs réactions.

La dernière de ces exigences signifie que les personnes facilement influençables, indécises, dépourvues d'assurance et de volonté, etc., n'ont pas intérêt à accomplir une démarche individuelle. Tout au plus, ont-elles la possibilité de prendre part à des expériences collectives, à condition que les participants soient à la fois expérimentés et dignes de confiance. Si, pour une raison ou une autre, elles ne peuvent assister à une séance réunissant plusieurs hommes ou femmes (ou si elles ne le souhaitent pas), l'issue est de s'en remettre à un adepte du spiritisme compétent et bienveillant qui agira en tant que « guide ».

Guide du spiritisme

Professeur de piano, *Hélène F.*, 55 ans, m'a confié :

— Depuis mon adolescence, je rêvais d'entrer en rapport avec les esprits de certains amis ou parents auxquels j'avais été très attachée. La timidité m'empêchait d'aller à des séances de spiritisme. On m'a bien dit qu'il était possible de s'y prendre seule, mais j'avais peur, je craignais quelque ennui...

« Puis, l'une de mes élèves, qui étudiait aussi le violon, chez un vieux musicien que je connaissais de renom, m'a appris que ce dernier lui avait été d'un grand secours, en se servant de la planchette oui-ja, pour la rassurer au sujet d'un problème assez sérieux.

« J'ai donc pris mon courage à deux mains et suis allée voir ce monsieur, à une époque où je m'inquiétais beaucoup de la santé d'un ami. Touchée à peine par la main du maestro, la planchette nous a communiqué le mot *maman*. La maman de qui ? La réponse a précisé le prénom de mon ami, dont pourtant le musicien ignorait tout.

« En ce qui me concerne, il n'en fallait pas plus pour prouver que c'était bien la mère de Pierre qui répondait, mais le vieillard a voulu en acquérir la certitude absolue, et a demandé à l'esprit de révéler le nom qui avait été le sien ici-bas. Alors, la planchette nous a fourni non seulement un nom de famille analogue à celui de mon ami Pierre, mais aussi un nom de jeune fille germanique que je ne connaissais pas...

« Le lendemain, je me suis rendue au chevet de Pierre et lui ai raconté ce qui s'était passé. A y penser, j'ai encore aujourd'hui la chair de poule ; Pierre m'a dit : " C'est exact, c'est bien ainsi que ma mère s'appelait avant son mariage ! " L'éventualité d'une mystification étant a priori exclue, je me suis donc empressée d'ajouter : " Figure-toi que ta mère nous a fait savoir que ta sortie de l'hôpital pouvait être attendue vers le début du mois prochain. " Mon ami a remarqué : " Ça m'étonnerait. Pas plus tard que ce matin, l'interne m'a affirmé que je devais rester ici encore trois ou quatre mois, dans la meilleure des hypothèses. "

Et pourtant, le trois du mois suivant, il allait être à même de pouvoir regagner son domicile !... »

*
* *

En somme, si timidité, appréhension, etc., nous privent de l'aptitude d'agir seuls ou de compter parmi les « piliers » d'une séance, la solution idéale est de nous appuyer sur autrui. Il est primordial, cependant, que la personne qui nous assiste possède des vertus telles que la bonté, l'intégrité, la secourabilité *...

Mais le témoignage d'Hélène F. dégage aussi d'autres leçons, en rapport avec les facteurs suivants :

— la vérification préliminaire de « l'identité de l'interlocuteur » ;

— la nature des questions posées ;

— la teneur des réponses obtenues.

Ces facteurs se présentent au sein de tous les procédés du spiritisme, nous les passerons donc en revue.

Avant d'en arriver là, pour couper court à tout malentendu, il faut noter que ce serait une (grosse) erreur de penser que la *démarche assistée* permette de contourner les difficultés. Les hommes ou femmes malades, fatigués ou prédisposés à mal réagir ne sont nullement « protégés » par la démarche assistée. Non, dans leur cas précis, même le concours d'un *spirite* ** dûment habilité peut ne pas obligatoirement garantir l'absence de problèmes mineurs ou majeurs.

---

* En règle générale, il est préférable de se méfier des « professionnels », autrement dit de ceux qui se font rémunérer pour leur *médiation*.
** Personne qui pratique régulièrement le spiritisme.

L'IDENTIFICATION

— Esprit, qui es-tu ?...

Les peintres, sculpteurs, musiciens ou écrivains qui affirment exercer leurs activités créatives sous l'impulsion de l'au-delà ne se soucient pas toujours de la localisation de la source de leur inspiration, mais c'est d'habitude par cette question, caractérisant la première phase d'une démarche individuelle ou collective — que le *support* soit une table, un verre à pied, l'oui-ja ou un crayon (plume, stylo, etc.) — qu'il est bon de commencer.

S'il en est ainsi, ce n'est pas par simple curiosité. Selon les adeptes du spiritisme, même l'invocation la plus appropriée de l'esprit de tel ou tel peut être vouée à l'échec, sans que cela puisse être constatée immédiatement par l'immobilité de l'objet utilisé.

Ce qui signifie que la table, le verre à pied, l'oui-ja ou le crayon (plume, stylo, etc.) se mettent à bouger, donnant tous les signes de l'établissement d'une communication, mais que se manifeste un esprit autre que celui qu'on attendait.

Et, de surcroît, « poussant la plaisanterie jusqu'au bout », cet esprit peut prendre un malin plaisir à usurper une identité, prétendant être la parcelle éternelle et invisible de la personne défunte invoquée...

L'identification

Le spirite auquel s'était adressée Hélène F. exigeait que *Maman* décline ses nom et prénoms. (Après vérification, la précision relative au nom de jeune fille allait d'autant dissiper les doutes qu'il constituait un élément complètement ignoré aussi bien par Hélène F. que par le spirite.)

Il ne se serait agi, là, que de la plus élémentaire des précautions. Tous les adeptes du spiritisme sont unanimes : dans ce domaine, la prudence n'est jamais excessive. En effet, ils attribuent aux *entités désincarnées de catégorie inférieure* la tendance systématique à se présenter sous une fausse identité, tantôt « pour s'amuser », tantôt avec un but avéré de nuisance, par le biais de messages négatifs, décourageants, induisant en erreur, etc.

Voilà pourquoi, avant de demander conseils ou éclaircissements, les spirites chevronnés procèdent à une interrogation dont le seul but est de savoir s'il y a ou non une « intervention frauduleuse »...

INDICE RÉVÉLATEUR

— Je voulais consulter l'esprit de ma cousine, comme chaque fois quand je me trouve devant un gros dilemme. L'oui-ja m'a bien donné son nom, mais quand j'ai demandé de quelle couleur était sa robe portée la dernière fois de sa vie, la réponse était ; « rouge ». Ce qui m'a mis la puce à l'oreille. Non seulement parce que Maryse ne portait pas de robe ce jour-là, mais surtout parce qu'elle était habillée d'un pull jaune et d'un pantalon noir.

« Je me suis dit que, peut-être, c'était une allusion au sang qui recouvrait le corps de Maryse après l'accident mortel avec sa moto. Mais, par acquit de conscience, j'ai quand même posé la question : " Comment s'appelait le garçon avec qui tu es partie à Rome, quelques mois avant de mourir ? ”... Je dois le préciser, moi, je n'en avais pas le moindre souvenir ! L'esprit a répondu : “ Georges ”. Ça m'a intriguée, puisque je me souvenais du détail qu'il était allemand : il ne pouvait donc pas s'appeler Georges, mais Georg tout au plus. Et, pourtant, je suis passée à la chose que j'aurais aimé savoir : “ Est-ce que je peux faire confiance à Jean-Jacques, qui m'a promis, hier, de ne plus fréquenter Françoise ? ” La réponse était : “ Sincère »...

« Environ une semaine plus tard, j'ai rencontré ma tante, la mère de Maryse, lui ai tout raconté, et exprimé mes doutes. Elle m'a répondu : “ Tu n'as pas tort, Maryse est allée à Rome avec un jeune homme qui s'appelait Wilfrid. ” Elle avait gardé ses coordonnées, ce qui m'a permis de lui téléphoner, pour demander s'il n'avait pas, par hasard, un deuxième prénom. “ Oui, j'en ai, c'est Gerhart ”, m'a-t-il appris. Voilà comment j'ai trouvé la confirmation que l'esprit n'était pas celui de Maryse. Grâce à quoi, je n'ai pas été trop étonnée ni chagrinée le jour où Jean-Jacques m'a avoué son amour pour ma rivale ! »

Comme la secrétaire de direction *Jocelyne L.*, bien d'autres mettent en relief les « agissements malhonnêtes des esprits moqueurs ».

A l'autre extrême, il arrive souvent qu'une *investigation préalable* ait pour résultat la communication de certains détails à la fois probants, inopinés et troublants. Ainsi le témoignage de *Pierre V.*, artiste peintre de son métier, paraît particulièrement instructif.

LA TOMBE DU PÈRE

— Pour des raisons indépendantes de ma volonté, il m'a été impossible d'assister aux derniers jours et aux funérailles de mon père. Je n'ai pu rentrer à Paris qu'environ deux années après sa mort. Dès mon arrivée, j'ai voulu me recueillir devant sa tombe, au cimetière de Montmorency. Mais son nom ne figurait pas dans le registre. J'ai alors téléphoné à ma fille, à Los Angeles. Peine perdue. Elle m'affirma que c'était bien au cimetière de Montmorency, qu'elle ne comprenait pas pourquoi le préposé avait prétendu le contraire et que je n'avais qu'à regarder parmi les papiers rangés dans son bureau, la facture de l'agence de pompes funèbres me mettrait sur la bonne piste... J'ai fouillé tous les tiroirs, sans rien trouver. Les choses en sont restées là. Mon amie m'a alors suggéré de l'accompagner chez un spirite de ses amis...

« Nous étions donc trois autour du guéridon quand les coups ont annoncé que mon père voulait me parler. Le spirite m'a conseillé de commencer par des questions-pièges, pour être certain que c'était bien lui. Lieu et date de naissance, profession, lectures préférées, tout concordait. Je devenais de plus en plus ému et je ne savais même plus quoi dire, mais mon amie m'a secoué : " Demande-lui où il est enterré. On verra bien si ça correspond... " Bon, j'ai posé la question. Peu après, comme en rêve, j'entendais la voix du spirite, qui me communiquait le numéro de l'allée et celui de l'emplacement précis, au nouveau cimetière de Montmorency, non l'ancien, où je l'avais en vain cherché.

Le lendemain même, je suis allé vérifier. Cette fois-ci, il n'y avait pas d'erreur. La tombe de mon père se trouvait exactement à l'endroit indiqué !... »

ALEXANDRE LE GRAND, JULES CÉSAR, NAPOLÉON BONAPARTE...

Au siècle dernier, tous les pionniers du spiritisme estimaient que la plus grande méfiance s'imposait si le « correspondant de l'au-delà » prétendait être l'esprit d'un personnage historique célèbre ou d'un contemporain plus ou moins universellement connu de son vivant. Telle est aussi l'opinion des spirites d'aujourd'hui. Selon eux, les messages au nom d'Alexandre le Grand, de Jules César, de Napoléon Bonaparte ou, plus près de nous et pour aborder l'univers des stars, de James Dean, de Jean Gabin, de Greta Garbo, etc., seraient le résultat, presque toujours, de la manigance d'un participant à la séance *, à moins qu'une entité désincarnée de catégorie inférieure ait décidé de rire un peu.

Et, pourtant, de nombreux spirites à l'intégrité et à la sincérité incontestables affirment qu'ils communiquent régulièrement avec les esprits de certains hommes d'Etat ou savants, philosophes, écrivains, etc. Leur conviction de ne pas être les victimes d'une mystification s'appuie sur un patient travail de recherches, de vérifications... Là encore, il convient d'adopter une stratégie raisonnée, et a priori sceptique.

---

* Certains faussent délibérément les données, soit uniquement par action mentale, c'est-à-dire en influençant le support grâce à la force de leur pensée, soit en exerçant un impact manuel sur ledit support.

LES QUESTIONS A POSER

Revenons au cas de la vendeuse Lise T., blessée à la joue au cours d'une séance*.

Pourquoi l'incident s'est-il produit?

Parce qu'elle a eu une attitude inconvenante. Et pourquoi a-t-elle eu une attitude inconvenante? En raison de l'absence d'une réponse. Et sur quoi avait porté sa question? Sur des achats dans un grand magasin!...

Ce n'est pas obligatoirement l'incursion dans un domaine « bassement matériel » qui provoque le mutisme. Il est assez courant qu'on obtienne des conseils au sujet de l'acquisition d'un bien (mobilier ou immobilier), de la localisation d'un objet perdu ou volé, de la date la plus propice pour signer un contrat ou pour faire un voyage d'affaires, etc.

Mais, malgré tout, les adeptes sérieux du spiritisme observent scrupuleusement les consignes données par Allan Kardec et les autres maîtres, qui ont toujours recommandé de ne pas importuner les esprits avec des dilemmes d'importance mineure.

Certes, disent-ils, les esprits qui sont prêts à nous aider en tout ne manquent pas. Il serait cependant abusif de les consulter pour des problèmes dont les répercussions ne risquent pas de bouleverser notre existence.

Et puis, si les spirites s'abstiennent, dans la majeure

* Page 14.

partie des cas, de poser des questions relatives à la fortune, à la carrière et même à la vie sentimentale, c'est aussi en raison de la conception selon laquelle les préoccupations liées à ces aspects spécifiques du quotidien attireraient les esprits de catégorie inférieure, étant entendu que ceux-ci veuillent saisir l'occasion de s'exprimer à propos de choses auxquelles ils restent très attachés, pour faire le mal, notamment en poussant les consultants à prendre des décisions aux conséquences néfastes ou absurdes.

MÉFIANCE MOTIVÉE

Dans son ouvrage intitulé *Le Livre des Médiums**, parmi d'innombrables autres, Allan Kardec fait la remarque suivante :

La rouerie des Esprits mystificateurs dépasse quelquefois tout ce qu'on peut imaginer ; l'art avec lequel ils dressent leurs batteries et combinent les moyens de persuader serait une chose curieuse s'il ne s'agissait toujours que d'innocentes plaisanteries, mais ces mystifications peuvent avoir des conséquences désagréables pour ceux qui ne se tiennent pas sur leurs gardes ; nous sommes assez heureux pour avoir pu ouvrir à temps les yeux à plusieurs personnes qui ont bien voulu nous demander notre avis, et leur avoir épargné des actions ridicules et compromettantes. Parmi les moyens qu'emploient ces Esprits, il faut placer en première ligne, comme étant les plus fréquents, ceux qui ont pour but de tenter la cupidité, comme la révélation de prétendus trésors cachés, l'annonce d'héritages ou d'autres sources de fortune. On doit en outre regarder comme suspectes, au premier chef, les prédictions à époques fixes, ainsi que toutes les indications précises touchant les intérêts matériels...

* Ed. Dervy-Livres.

Qu'une telle méfiance soit motivée ne fait aucun doute lorsqu'on prend connaissance par exemple, du témoignage du kinésithérapeute *Michel G.* :

— Depuis des années, je passe mes vacances d'été dans une ferme de la Dordogne, qui appartient à un ami. Le bruit courait que l'ancien propriétaire de cette ferme avait acheté des lingots d'or avec ses économies et les avait enfouis quelque part dans les environs. Alors, un jour, nous avons décidé de tenter notre chance. Par l'intermédiaire d'un oui-ja, nous avons demandé à l'esprit du fermier où exactement se trouvait ce trésor. La réponse était claire et nette...

« Pendant des heures et des heures, nous avons creusé à l'endroit indiqué, atteignant une profondeur d'une dizaine de mètres. A cause d'une formation rocheuse, aller plus loin devint impossible. Sans nous décourager, le soir même, nous avons encore appelé l'esprit. Cette fois-là, un autre point précis du domaine a été désigné. Non plus dans le verger, mais derrière l'étable. Nous avons été assez idiots pour reperdre temps et énergies. Au lieu de trésor, nous avons découvert le squelette d'un bébé, que quelque fille-mère avait dû ensevelir à cet endroit... »

EXCEPTIONS

Selon les circonstances, les esprits peuvent cependant favoriser les intérêts matériels, quelquefois, à condition que ce ne soit pas pour servir la cupidité, précise Allan Kardec (toujours dans *Le Livre des Médiums*). Il cite l'exemple d'une veuve de haute moralité, qui restait sans ressources après la mort de son mari et se trouvait à la veille d'être expulsée de son domicile. Il ne fut même pas nécessaire pour elle de demander secours par l'intermédiaire de l'un ou l'autre des procédés du spiritisme : l'esprit de son mari lui révéla à travers une vision*

* Les visions seront traitées dans le chapitre « Les manifestations de la médiumnité » (page 153).

l'existence d'un tiroir secret, dans l'un des meubles mis sous scellés. Ce tiroir contenait le testament dont les dispositions allaient lui permettre de garder l'appartement et de jouir d'une rente, alors que les héritiers issus d'un précédent mariage pensaient déjà pouvoir la léser entièrement...

*
**

En somme, s'il s'agit d'un *problème matériel d'intérêt vital*, exception peut être faite, à condition que la personne concernée en soit digne. Le témoignage du réfugié politique hongrois *Jozsef B* le confirme.

— Environ un an après mon arrivée à Paris, dans le métro, trois voyous m'ont agressé. Toutes mes économies, je les avais sur moi, malheureusement... A l'époque, je n'étais pas encore boursier. Pour être à même de payer mes études universitaires, je travaillais le soir dans un restaurant montmartrois, comme plongeur. Mais mon employeur a refusé de me donner une avance et je ne connaissais personne d'autre ayant les moyens de me dépanner.

« Logiquement, je n'avais que deux issues, la Légion ou le rapatriement en Hongrie. L'une ou l'autre auraient brisé ma vie... J'étais accablé, incapable de prendre une décision. C'est alors qu'une voix intérieure m'a dit de demander à l'esprit de mon cousin, et meilleur ami, ce que j'avais à faire pour trouver l'argent nécessaire à la prolongation de mon séjour en France.

« Franchement, je manquais de toute expérience, c'était la première fois que j'ai essayé l'écriture automatique *, dont j'avais vaguement entendu parler, je ne savais même plus par qui. Le fait est : j'ai eu une réponse, avec les mots *Vàrjàl rendbejön*, qui signifient en français « Attends ça s'arrangera ».

« A peine trois jours plus tard, le destin a voulu que je

---

* Description du procédé aux pages 112 et suivantes.

rencontre sur les Champs-Elysées un compatriote vu la dernière fois à Budapest, quatre années auparavant. Nous habitions à l'époque le même immeuble, nous nous saluions, sans jamais engager la conversation, mais je me souvenais qu'il s'appelait Viktor Hardy et avait des lointaines origines suisses, aux dires de ma mère. Revenus de la surprise, nous nous sommes embrassés, comme de vieux amis, et l'une des premières choses qu'il m'a demandé était : « As-tu besoin d'argent ? » Puis, mis au courant de ma situation, il a immédiatement sorti son portefeuille. Grâce au montant prêté, je ne me trouvais plus dans l'obligation de quitter Paris... »

Heureuse coïncidence ou rebondissement providentiel ? Reste à retenir le détail que s'il n'avait pas reçu le message encourageant, Jozsef B. aurait renoncé à l'espoir de pouvoir s'enraciner en France et serait retourné dans son pays natal (encourant une peine de prison, pour émigration illégale), ou allait sous les drapeaux de la Légion étrangère...

LE PLUS SÛR

Certes, la notion de la futilité est relative. Ce qui peut paraître primordial aux uns peut sembler superflu aux autres. Pour ne pas (trop) s'y tromper, le plus sûr est de sélectionner les questions à poser, consciencieusement et de bonne foi, de les préparer et de faire de son mieux pour éviter celles qui ne sont pas vraiment essentielles...

Parce qu'il en va pour le spiritisme comme pour les soins apportés à notre santé. Un rhume, une indigestion ou n'importe quel autre ennui passager semblable ne nous décident jamais à appeler notre médecin traitant sur le champ ; nous nous tournons vers lui uniquement en présence d'un symptôme alarmant. Au même titre, il serait inopportun de vouloir chercher l'issue dans les tables tournantes ou l'oui-ja, le verre à pied, etc., chaque fois que nous avons à affronter des adversités ou des incertitudes pouvant être éliminées par nous-mêmes, grâce à notre volonté, notre persévérance, ou notre logique...

En revanche, il est licite d'expérimenter l'un ou l'autre des procédés si nous souhaitons :

— *SUPPRIMER OU, DU MOINS, ATTENUER NOTRE APPREHENSION DE LA MORT ;*

— *ATTEINDRE UN NIVEAU SPIRITUEL ELEVE, NOUS PERMETTANT, ENTRE AUTRES, DE MIEUX SAISIR LE SENS DE NOTRE VIE ;*

— *MAINTENIR OU RENOUVELER LE CONTACT AVEC UN ETRE CHER, DANS LE BUT DE POUVOIR PLUS FACILEMENT NOUS RESIGNER A SA MORT OU ENCORE, EN DES CIRCONSTANCES EXCEPTIONNEL-LEMENT CRITIQUES, POUR LUI DEMANDER CONSEILS OU ECLAIRCISSEMENTS.*

LA TENEUR DES RÉPONSES

— ... En janvier 1947, nous attendions avec la plus grande inquiétude le retour de mon frère Vince. Il était parti en Autriche et ne nous donnait plus de ses nouvelles depuis plusieurs jours. Camille, sa femme, était désespérée et puisque l'une de nos voisines, Elisabeth, avait la réputation d'en être experte, elle l'a priée d'organiser une séance. Sceptique, je n'ai pas voulu y participer. En revanche, Tosca, ma femme, était partante.

« Les trois dames, c'est-à-dire la voisine, ma belle-sœur et mon épouse, ont appelé l'esprit d'un proche parent de Tosca, qui avait été déchiqueté par une mine en 1945, peu avant la fin de la guerre.

Sa réponse aurait été : « Fichez-moi la paix !... »

Alors, elles se sont adressées à l'esprit de mon père, décédé en 1934. La table a communiqué la prédiction suivante : « Vince rentrera demain ! » Effectivement, le lendemain, mon frère allait nous rejoindre sain et sauf.

« Les femmes !... Loin d'en rester là, Elisabeth, Camille et Tosca ont sauté sur l'occasion pour demander à l'esprit de mon père si leurs maris respectifs avaient, chacun, une maîtresse. « Oui, tous les trois ! », telle a été la réponse. Je dois le noter, quant à mon frère et moi, l'affirmation fort indiscrète correspondait à la réalité. Pour ce qui était du mari d'Elisabeth, rien ne laissait supposer son adultère, on ne lui connaissait pas cette tendance à courir les jupons qu'avions Vince et moi. Il était donc compréhensible que son épouse pousse le cri « Balivernes ! » et quitte la pièce en claquant la porte...

« Seize années plus tard, en 1963, après une longue absence à l'étranger, j'étais la première fois de retour dans ma ville natale et j'ai revu Elisabeth. Nous avons parlé de choses et d'autres, puis elle m'a confié : « Figurez-vous, il s'est avéré que mon mari avait réellement une maîtresse en janvier 1947. Et dire que je croyais que l'esprit de votre père se payait ma tête !... »

La présente évocation faite en 1988 par l'homme d'affaires sicilien **Giorgio Sciotto** contient des éléments qui, à leur tour, paraissent être en contradiction avec les préceptes signalés dans le chapitre précédent.

Premièrement, tout comme dans le cas d'Hélène F.*, il y a une réponse qui précise la date d'un événement à venir, alors que, selon Allan Kardec, on doit « regarder comme suspectes, au premier chef, les prédictions à époques fixes ».

Deuxièmement, tout en étant « futile » (d'après les critères propres au spiritisme), la question concernant la fidélité des maris non seulement n'entraîne pas un refus de réponse ni un incident quelconque, mais encore faitelle jaillir une révélation dont la justesse pourra être constatée ultérieurement.

Ainsi, s'il est vrai que le bon sens conseille de se méfier des indications relatives à une date et de s'abstenir des questions d'importance secondaire, cela ne veut pas dire qu'on n'obtienne jamais des réponses qui, soit, annoncent le moment même ou l'époque approximative d'un fait précis, soit portent sur un sujet nullement primordial ou encore relèvent, en même temps, de l'une et de l'autre de ces catégories.

* Pages 32/33.

La teneur des réponses

TOUT EST POSSIBLE

A titre exceptionnel, tout est possible. Voici quelques exemples :

— François est un jeune homme honnête. Il aimerait être éclairé à propos de ses chances d'obtenir rapidement un bon emploi. La réponse le rassure (il devrait trouver une belle situation avant deux mois), mais le délai passe sans que ses démarches portent leur fruit et même au bout d'un an, l'horizon lui reste bouché.

— L'arriviste et opportuniste Jean-Claude est au chômage, lui aussi. Il a posé sa candidature dans une entreprise en pleine expansion et voudrait connaître le résultat de son initiative. Le succès lui est annoncé et, peu après, on l'engage pour de bon, en effet.

— Le brave Christophe s'enquiert de sa carrière également. Il travaille le plus consciencieusement du monde, sans voir son zèle et sa compétence récompensés par un avancement. Il a beau essayer plusieurs procédés, le spiritisme le laisse dans l'ignorance complète de la tournure que les événements vont prendre.

Dans les domaines de la vie sentimentale, de la santé, des héritages, etc., tout comme dans celui qui touche à l'élévation spirituelle (investigations sur la réincarnation, sur la nature de l'univers, etc.) ou toutes les fois où le but est pareillement noble — la tentative d'atténuer le chagrin provoqué par un deuil par exemple — les questions posées sont vouées au même sort : *QU'ELLE SOIT VERTUEUSE OU NON, LA PERSONNE QUI INTERROGE PEUT S'ATTENDRE AUSSI BIEN A UNE REPONSE VALABLE QU'A UNE QUI NE L'EST PAS, MAIS AUSSI A L'EVENTUALITE D'UN MUTISME TOTAL.*

Ceci serait dû à des facteurs ayant trait à la fois aux esprits et aux hommes ou femmes qui les sollicitent. Revenons aux cas (fictifs !) des trois individus ayant en commun une préoccupation liée au travail... Parmi d'au-

47

tres, les explications suivantes pourraient être envisagées :

— Si, malgré ses vertus, François est induit en erreur, la cause en réside ou bien dans l'agissement d'un esprit malveillant ou bien dans l'intention d'un esprit bienveillant de lui donner de l'espoir, en attendant que les choses s'arrangent, voire de le mettre à l'épreuve, dans son propre intérêt... Mais, ce n'est pas à exclure non plus, cet esprit bienveillant a pu formuler en toute bonne foi une prédiction dénuée de fondement (selon les spirites, comme les vivants, les esprits seraient susceptibles de se tromper).

— Tout en ne méritant pas d'être épaulé, Jean-Claude obtient une réponse correcte, soit parce qu'un esprit de catégorie inférieure (donc malveillant) lui témoigne de sa sympathie, par complicité, soit parce qu'un esprit de catégorie supérieure ou intermédiaire (donc bienveillant) souhaite l'aider, dans l'espoir que la *preuve de l'existence de l'au-delà* le fasse réfléchir et l'encourage à s'améliorer sur le plan moral.

— Christophe reste sans réponse parce que l'esprit invoqué (quelle que soit sa catégorie) juge inutile de le renseigner, à cause de sa médiocrité ou du fait que la question ne concerne pas un problème vital, à moins que l'échec soit attribuable au degré insuffisant de sa confiance en la méthode.

Evidemment, nous sommes libres de considérer ou non comme plausibles ces motivations, axées sur les principes élaborés par les grands théoriciens du spiritisme. Si nous faisons entrer en ligne de compte le seul aspect pratique, se dessine une vérité paradoxale : *EN SPIRITISME, LA REGLE EST QU'IL N'Y A PAS DE REGLE !...*

LE RÔLE DE L'ATTITUDE

Il est couramment admis que le succès d'une démarche dépende, pour l'essentiel, de l'attitude de la ou des personnes qui l'accomplissent. En principe, pour pouvoir établir la communication, il est plus que souhaitable d'avoir la conviction profonde : tout ne se termine pas avec notre dernier soupir !...

REVIREMENT TARDIF

Journaliste spécialisée dans les affaires politiques et économiques, *Sonia A,* avait progressivement cessé ses activités professionnelles après son mariage avec un conseiller juridique parisien d'origine hongroise, pour se consacrer entièrement à sa vie familiale. Aujourd'hui, elle est une femme d'âge avancé, mais sa mémoire demeure vive :

— ... L'immortalité de l'âme ? Je n'y croyais absolument pas. Déjà au pensionnat, mes camarades ont vite pris la décision de ne pas me convier à leurs séances de spiritisme, parce qu'il suffisait que je sois présente pour que rien ne marche. Ce qui était d'ailleurs normal, puisque je plaisantais tellement que personne ne pouvait se concentrer !

« Bien plus tard, lorsque j'accompagnais mon mari à la

Maison des Spirites*, c'était pareil. Il avait beau me recommander de ne pas être trouble-fête, je n'arrivais pas à dissimuler mon incrédulité. Et on devait attribuer l'échec des expériences au scepticisme inébranlable qui était le mien.

« Puis, le onze septembre mille neuf cent cinquante et un, à l'âge de neuf ans, ma fille Betty a été rayée de la liste des vivants. Elle a succombé à une méningite tuberculeuse, j'étais désespérée. A plusieurs reprises, j'ai essayé d'en finir, grâce à des doses massives de barbituriques. Mais mon mari veillait sur moi et parvenait, chaque fois, à me faire hospitaliser juste à temps...

« A la longue, j'ai été confiée aux soins d'un psychiatre. Sur l'initiative de mon mari, il tentait de me sortir de l'impasse en dirigeant mes pensées vers la certitude d'une *vie après la vie*, pour utiliser le terme devenu à la mode après la parution du livre du docteur Moody**. Afin que je puisse acquérir une telle certitude, il me conseillait de faire encore des essais avec le spiritisme. « Faites un effort : au lieu de croire fermement que c'est impossible, acceptez l'idée que, peut-être, il y a quelque chose après la mort. Qui sait, il n'est pas exclu que votre fille se manifeste à vous, pour vous prouver que vous avez tort de rester inconsolable », me disait-il.

« En plus, mon mari s'acharnait à vouloir me prouver que l'âme de Betty planait autour de moi et que cette âme exigeait ma résignation au malheur qui l'avait expulsée de son étui charnel. Jour après jour, il me parlait de phénomènes pouvant laisser supposer que la mort constitue uniquement une transition... Par exemple, il m'avait raconté : « Tu sais, le neuf mai mille neuf cent quarante-quatre, dans une cellule de la prison de Bourges, à la veille de ma déportation en Allemagne, mon père est

---

* Ancien siège de l'association des disciples d'Allan Kardec, cet immeuble pittoresque de la rue Copernic (Paris XVIe) est occupé, à présent, par des bureaux.
** « *La Vie après la Vie* », Ed. Robert Laffont.

apparu en rêve. Habillé d'une chasuble à la blancheur aveuglante, il avait le visage extrêmement pâle et un regard absent, mais serein. À la fin des hostilités, quand les communications furent rétablies avec la Hongrie, je devais apprendre qu'il avait été exécuté par les Nyilas * exactement cette nuit-là. Son esprit est donc venu me retrouver juste avant d'entreprendre l'ascension de l'après-mort... »

« Mais je persistais à ne pas prêter attention ni aux propos de mon psychiatre ni aux exemples que mon mari me citait. Jusqu'au matin où, en me réveillant, j'ai découvert sous mon oreiller le linceul que j'avais moi-même brodé pour Betty. J'étais bouleversée, ça se comprend. « Tu vois, notre fille a tenu à dissiper tes doutes », déclara mon mari.

J'étais loin d'imaginer que, même animé par de bonnes intentions, il avait osé retirer en secret ce linceul du cercueil de Betty, dans notre caveau familial du cimetière de Pantin !...

« Sa duperie macabre, mon mari n'allait me l'avouer qu'une trentaine d'années plus tard. Entre-temps, grâce à son machiavélisme, je suis devenue une adepte fervente du spiritisme. Au début en me servant d'un oui-ja, puis par l'écriture automatique. Je « conversais » régulièrement avec Betty ou, plus précisément, avec son esprit, ce qui m'a permis de mener une existence normale, sans plus être accablée par sa mort prématurée.

« L'esprit de Betty m'a fourni un grand nombre d'indications troublantes. Passé, présent et même futur, je pouvais me fier à tout ce qui m'était communiqué. Y compris lorsque le message paraissait démuni de fondement. Par exemple, en mille neuf cent cinquante-deux, mon mari est parti à Monte-Carlo, en principe pour une seule journée. « Ne t'inquiète pas, papa reviendra dans quatre jours », m'a affirmé l'esprit de ma fille le soir du départ de Pierre.

Il allait réellement en être ainsi. Le premier jour pour

* « Croix fléchées », nom porté par les nazis hongrois.

des raisons purement et simplement professionnelles, le deuxième jour parce que son chauffeur était souffrant, le troisième jour à cause d'une panne de la voiture, mon mari s'est trouvé dans l'impossibilité de me rejoindre.

« Voici quinze ans, toujours par l'intermédiaire de l'écriture automatique, l'esprit de Betty m'a demandé de ne plus l'appeler car le temps était venu de s'éloigner, de se préparer à sa prochaine réincarnation. Je me suis inclinée devant cet impératif... »

Pour que Sonia puisse bénéficier des avantages du « télégraphe pas comme les autres », il a fallu qu'elle commence à croire en un monde des esprits. Mais son cas illustre seulement la caractéristique fondamentale d'une *MÉTHODE QUI ÉCHAPPE AUX RÈGLES ABSOLUES.*

Parce que s'il est vrai qu'on considère souvent comme un obstacle insurmontable la présence à la séance de ne serait-ce qu'une seule personne sceptique, il est également vrai qu'assez fréquemment tout se déroule plus ou moins normalement même les fois où tous les participants rejettent l'éventualité d'une *réalité postmortem.*

Oui, qu'ils s'y mettent seuls ou en compagnie de personnes qui partagent ou ne partagent pas leur avis, les sceptiques, eux aussi, peuvent parfois constater des phénomènes « dépassant l'entendement », comme dans le récit suivant...

Témoignage de **Philippe Grancher** *

> *Tout a commencé ainsi : nous étions six amis très proches, quatre femmes et deux hommes, à partir nous reposer à Thonon-les-Bains, pour les fêtes de fin d'année.*
>
> *La maison qui nous accueillait était une solide*

---

* Éditeur.

bâtisse construite dans les années cinquante, assez grande, blanche et d'aspect banal. Seul le jardin — un immense rectangle vert piqué d'ifs surplombant le lac Léman — me parut immédiatement inquiétant. J'appris de la bouche d'Anne-Laurence, notre hôtesse distinguée, que son grand-père y était mort en faisant la sieste...

Ces quelques jours de vacances se déroulèrent dans la plus franche gaieté : nous faisions du ski dans la journée et dînions le soir jusqu'à des heures avancées de la nuit.

L'avant-veille de notre départ, le 30 décembre 1990, l'un de nous a lancé l'idée saugrenue de faire du spiritisme. Je ne saurais dire pourquoi, cette initiative fut accueillie avec enthousiasme. Dans le salon, il y avait un immense guéridon à trois pieds (ou, plus précisément, une table ayant la forme de guéridon), qui pesait au moins vingt-cinq kilos. Sans doute sa présence nous conviait à aller jusqu'au bout...

Personne parmi nous n'avait jamais pratiqué ce type d'expérience, excepté moi-même, une fois, vers l'âge de dix-huit ans, et aucun n'y croyait vraiment. C'était, pour nous, un simple jeu. Les premiers essais ne furent d'ailleurs guère concluants. Nous pensions qu'il ne fallait pas toucher la table et, assis autour d'elle, tous les six, nous nous contentions de tenir nos mains à deux ou trois centimètres du plateau. Il ne se passa strictement rien.

Alors que nous étions prêts à abandonner, je me souvins de ma « séance de jeunesse » et proposai à tous de poser franchement les mains sur la table, juste pour voir.

Presque immédiatement, nous ressentions de fortes vibrations et entendions toutes sortes de craquements. Puis, le plateau se mit à onduler, comme si le bois était devenu la surface d'une mer. Nous étions frappés d'incrédulité. Ce fut à ce moment-là que la table bougea et glissa sur le parquet, lentement au début, pour continuer de plus en plus vite, jusqu'à finir à une

53

vitesse stupéfiante, nous obligeant à courir tout au long de la pièce pour pouvoir garder nos mains en place... Enfin, elle se mit à tourner sur elle-même, dans un sens ou un autre. Nous posâmes alors tout un lot de questions, auxquelles la table répondait par oui ou par non, en pivotant dans le sens des aiguilles d'une montre, pour dire oui, et dans le sens contraire pour signifier la négation.

Nous entrâmes successivement en contact avec quelque chose se présentant comme la grand-mère, puis le grand-père ayant vécu dans la maison ; ces « conversations », que je ne détaille pas ici, se déroulèrent dans une ambiance paisible, cordiale.

Nous nous couchâmes, passablement excités et avides de recommencer. Le lendemain il nous fut impossible d'attendre jusqu'au soir pour renouveler l'expérience. Vers cinq heures, alors que le pâle soleil d'hiver s'inclinait déjà, nous avions tôt fait de tirer les rideaux du salon et de nous poster autour du lourd guéridon...

Et, là, tout fut différent. Presque immédiatement, une sensation désagréable s'empara de nous ; les lumières électriques se mirent à vaciller, la table à vibrer, à tanguer. Je demandai si l'esprit qui venait à nous était mauvais. La table répondit aussitôt que oui, puis entama une sarabande difficile à maîtriser, en une succession de mouvements cahotiques et violents.

Le « dialogue » qui s'ensuivit fut essentiellement négatif et n'apporta aucun élément intéressant. Nous décidâmes d'arrêter. L'esprit nous donna alors un rendez-vous pour trois heures du matin*.

A trois heures moins le quart exactement, nous

---

* J'abrège, bien entendu, le récit. Ces échanges ont eu lieu, je le rappelle, sous forme de questions-réponses et, en l'occurrence, cela donnait à peu près ceci :
— Veux-tu que je reprenne la séance à un autre moment ?
— Oui (un coup, très fort).
— A quelle heure ? Tape le nombre...
(En guise de réponse, trois coups.)

étions fin prêts autour de la table. Le réveillon du Nouvel An prenait une couleur mystérieuse, qui nous excitait diablement...

Nous eûmes tout d'abord « au bout du fil » la grand-mère, qui parut, si je puis employer de tels termes, fébrile et tourmentée. Elle nous déconseilla formellement de continuer. Bien entendu, nous ne l'avons pas écoutée et, à trois heures précises, notre « mauvais esprit » arriva, comme il l'avait promis.

Tout de suite, nous sûmes que c'était lui. La lumière — une lampe halogène mise en veilleuse — se mit à croître et à décroître, avec de brusques sauts de clarté ou d'obscurité; la table fut prise de mouvements saccadés d'une amplitude extrême, comme si une conscience invisible la projetait en tous sens au gré de son humeur, parcourant la pièce, virevoltant à une allure étonnante, changeant de direction à quatre-vingt-dix degrés en un dixième de seconde, tapant, hoquetant...

Alors, je décidai de tenter une expérience. Je posai un bloc de papier sur la table, puis tins un crayon, le bras tendu, de sorte que la pointe du crayon affleure la feuille vierge. Aussitôt, la table se mit à se mouvoir, déplaçant par là même le bloc, mon crayon ne bougeant pas. Et voici que la table écrivit le mot « MORT », mais à l'envers, c'est-à-dire « TROM » !...

Nous n'en menions déjà pas large, mais ce nouvel évènement nous laissa bouche bée.

Et ce fut à cet instant que la table s'envola. Je sais que cela semble difficile à concevoir et mesure la difficulté à être cru. Pourtant, cette table — de grande dimension, je le rappelle, et d'un poids conséquent — quitta purement et simplement le sol, s'éleva à environ quarante centimètres du parquet, puis parcourut ainsi plusieurs mètres, avant de retomber doucement. En même temps, plusieurs objets de faible dimension, qui se trouvaient sur des meubles disséminés dans la pièce, se déplaçaient tout seuls. Il s'agissait de bouchons, de paquets de cigarettes, de briquets...

Nous étions atterrés par la tournure des événements, d'autant qu'à présent la table s'en prenait à l'un de nous en particulier et le poursuivait, en cherchant à l'acculer contre un mur ou une vitre.

Heureusement, notre histoire s'acheva la minute suivante : d'elle-même, nous laissant hagards et désorientés, la table se brisa !...

Les lumières une fois rallumées, nous avons procédé à l'examen du guéridon. L'un de ses (trois) pieds était cassé en deux. Et nous connûmes notre dernière surprise : les deux parties du pied cassé ne correspondaient pas, les réemboîter était impossible ! Pourtant, pas une esquille, pas le plus minuscule morceau de bois ne jonchait le sol...

Je tiens à souligner le fait que toutes les personnes qui ont vécu cette aventure sont rationalistes et exercent des activités professionnelles ancrées dans la réalité : Sophie L. supervise la communication en France d'une entreprise japonaise, Philippe C. est directeur artistique dans une agence de publicité, Nathalie B. et Monique L. sont toutes deux journalistes, Anne-Laurence S. s'occupe de communication institutionnelle et je suis éditeur.

Tous, nous nous sommes prêtés au jeu avec le plus grand scepticisme et il n'y avait, de notre part, ni autosuggestion ni bienveillance à l'égard des phénomènes qui allaient se produire sous nos yeux.

Par ailleurs, il n'y avait aucun trucage possible. Nous avons essayé de reconstituer les mouvements effectués par la table, notamment en la manipulant tous ensemble, mais en vain.

J'ajouterai que, depuis, en d'autres lieux et en d'autres circonstances, nous avons « récidivé » à plusieurs reprises. Les résultats obtenus devaient être semblables, toujours aussi déconcertants.

Pour terminer, je dis ceci : ce fut en janvier 1991, quelques jours après mon retour à Paris de Thonon-les-Bains, que je décidai de publier un livre sur le sujet, le plus précis possible. J'en confiai la conception et la rédaction à Giovanni Sciuto, qui a bien voulu accepter, ce dont je le remercie.

Le scepticisme de Philippe Grancher et de ses amis n'a donc pas empêché la concrétisation de la manifestation attendue. Mais si « une ambiance paisible, cordiale » caractérisait les moments où, d'après le témoignage, les réponses aux questions venaient de la part de sources mystérieuses censées être les esprits des (gentils) aïeuls d'Anne-Laurence, la maîtresse de maison, il en allait tout autrement lorsqu'entrait en scène avec fracas un « mauvais esprit »...

UN PEU COMME AU CINÉMA

Finalement, les spécialistes des effets spéciaux n'exagèrent pas trop quand ils mettent au point des séquences particulièrement spectaculaires dans des films comme *L'Exorciste*, *La Malédiction*, *Carrie*, etc. Leur travail s'inspire des observations scrupuleusement faites par les équipes des nombreux instituts ou laboratoires de parapsychologie qui existent aux États-Unis.

Allan Kardec, et d'autres, le mettaient en évidence déjà au siècle dernier — les auteurs d'aujourd'hui sont à même de le confirmer — les brusques variations de l'intensité de l'éclairage, les déplacements de divers objets, « l'autodestruction » de vitres, bouteilles, vases, etc., les mouvements vertigineux et (ou) la lévitation du support utilisé (table, verre à pied, oui-ja...), ainsi que « l'assaut endiablé » dirigé contre l'un ou l'autre des participants font parfois partie intégrante d'une séance de spiritisme.

Mais tous les témoignages concordent : *LES PHENOMENES INQUIETANTS OU MEME ALARMANTS SE DECLENCHENT UNIQUEMENT S'ILS SONT DELIBEREMENT OU INVOLONTAIREMENT PROVOQUES PAR*

L'IRREVERENCE, LA MAUVAISE FOI OU LE SIMPLE SCEPTICISME DE L'ASSISTANCE.

Tout se passe, en somme, comme si le « mauvais esprit » voulait tantôt *se venger* d'un affront qui lui a été fait, tantôt *prouver* qu'il est vraiment là.

Et, pour ce qui est de la première de ces deux éventualités, elle pourrait être motivée non seulement par une offense au cours de la séance, mais aussi par quelque « préjudice moral ou matériel » antérieur...

INDISCRÉTIONS BLESSANTES

Grand ami et, dans un certain sens, maître spirituel d'artistes comme Arlette Didier ou Serge Lama, le documentaliste et écrivain **Marcel Gobineau** compte parmi ceux qui ont eu à déplorer des incidents en raison d'un agissement ayant pour contexte un passé plus ou moins lointain :

— Ma mère a découvert mon don de voyance du temps de mon enfance. Plus tard j'ai souvent eu l'occasion de constater qu'effectivement, la *faculté de perception extra-sensorielle* me mettait en mesure de détecter certaines réalités situées dans le futur. Ce phénomène s'expliquait-il grâce aux théories élaborées par les parapsychologues ou fallait-il envisager aussi l'éventuel concours de formes d'intelligence méconnues, en l'occurrence les esprits ?... Le fait est : je me suis un peu intéressé au spiritisme et c'est ainsi que j'ai participé à quelques-unes des séances qu'organisait chez elle l'amie comédienne Arlette Didier.

« Un jour, en réponse à la classique question « Esprit, qui es-tu ? », le verre à pied a désigné les lettres L, A, C, H, M, A, N, ce qui m'a légèrement fait sursauter, parce que j'avais écrit un ouvrage biographique sur Paiva, une célébrité de l'époque de Napoléon III, Thérèse Lachman de son vrai nom.

« Sans tarder, le verre s'est échappé au contrôle d'Arlette. Désormais sans que personne le touche, il se mit à rédiger fébrilement de longues phrases entières, adressées exclusivement à moi. Il m'était reproché d'avoir cumulé les « indiscrétions blessantes », en publiant ce livre, qui mettait à nu des facettes ignorées par le public de la vie privée de cette femme (elle monnayait ses charmes, mais jouissait d'une grande popularité grâce à ses performances artistiques). En même temps, derrière moi, le parquet craquait bruyamment, alors que ne pouvaient être mis en cause ni les pieds de tierces personnes ni les chats siamois d'Arlette !

« Puis, les accusations relativement modérées se transmutèrent en invectives de plus en plus triviales, et ce ne fut que le prélude à une série de mouvements que le verre effectuait devant moi subrepticement, me laissant supposer qu'il s'apprêtait à me sauter au visage d'un moment à l'autre.

« Excédé, je me suis levé, pour prendre position exactement là où le parquet continuait à craquer. La chose peut paraître ridicule, j'ai réagi comme si se trouvait en face de moi la Paiva en chair et en os ! Furieusement, sans ménager mon vocabulaire, j'ai énoncé à celle-ci ses quatre vérités, en lui rappelant notamment que rien n'était faux dans mon livre, que toutes les évocations de la « carrière de grande cocotte » qu'avait été la sienne reposaient sur des chroniques fiables rédigées de son vivant !

« Ma contre-offensive fut couronnée de succès. Le parquet cessa de craquer, le verre ne tournoyait plus. Nous pouvions reprendre la séance le plus tranquillement du monde et les messages allaient être signés par un esprit qui n'avait aucune remontrance à faire... »

Heureusement, il n'arrive pas souvent qu'un « impair » effectif ou prétendu tel commis dans le passé ait pour conséquence une mésaventure semblable à celle dont Marcel Gobineau fut le protagoniste. Mais si, lui, parvint à tout faire terminer par un *happy end*, grâce à une réaction énergique, l'explication en réside à la fois dans sa personnalité, dans la justesse de sa cause (il avait écrit des vérités, non des calomnies) et dans ses facultés exceptionnelles (parapsychologiques selon les uns, médiumniques selon les autres), qui lui permettaient sans aucun doute de mener un « duel à armes égales ».

Reste, en somme, à savoir comment doit réagir en des circonstances similaires le commun des mortels et comment il faut s'y prendre pour clore la séance même en l'absence de manifestations alarmantes.

LA DERNIÈRE PHASE

Quoi de plus évident, il faut interrompre ou terminer la séance si un quelconque problème surgit... ou, mieux encore, dès que la teneur des messages trahit une agressivité qui peut laisser craindre des suites fâcheuses.

Selon les adeptes les plus expérimentés du spiritisme, le moyen le plus indiqué serait de...

LANCER UN S.O.S.

En juin 1991, **Odette Barat** * m'a confié :

— Tantôt en compagnie d'amis, tantôt avec mon mari, nous pratiquons le spiritisme régulièrement depuis des dizaines et des dizaines d'années. Chaque fois, nous commençons par une prière et seulement après nous appelons tel ou tel esprit, à moins de laisser la voie libre à celui des esprits qui estime opportun de se joindre à nous de sa propre initiative.

« Grâce à la prière préalable, il n'y a pour ainsi dire aucun risque d'attirer des esprits inférieurs, maléfiques. Mais si jamais il s'en présente un — on peut le déduire en raison de la nature des propos tenus ou encore à cause de la violence excessive des coups donnés par la table —, le

* Auteur de « *L'ABC de la Réincarnation* » (Ed. Dervy-Livres).

déloger n'est pas difficile, à condition de demander immédiatement l'assistance divine, toujours par la prière, de préférence à haute voix, jusqu'à ce que la table redevienne immobile. En même temps, il est indispensable, aussi, de ne plus toucher la table ou même de s'en éloigner.

« Examinons maintenant, l'éventualité qu'esprit indésirable résiste à la prière ; soit il se limite à poursuivre ses pulsions élémentaires données à la table, soit il se révèle toujours présent en la faisant virevolter, leviter, courir ou en provoquant d'autres phénomènes insolites, par exemple des craquements dans les meubles, le déplacement d'objets déterminés, etc. Ceci ne peut se produire que du fait de l'énergie puisée dans l'une ou l'autre des personnes qui assistent à la séance...

« Parce que, ne l'oublions pas, à lui seul, un esprit peut, à la rigueur, se montrer — les récits relatifs aux apparitions de fantômes sont souvent fondés et n'impliquent pas nécessairement de simples hallucinations ! —, mais il est incapable de faire bouger un objet quelconque.

« Lorsque nous participons à une séance de spiritisme, consciemment ou non, nous prêtons des énergies à l'esprit, c'est ce qui lui permet de se manifester. Or, il suffit que se trouvent parmi nous des personnes aux qualités morales... disons « nullement irréprochables », pour que leur potentiel énergétique alimente puissamment l'esprit inférieur, et ceci est décuplé lorsque la personne « mauvaise » s'avère délibérément complice. Voilà pourquoi l'association entre les énergies négatives des êtres vivants et les énergies négatives d'un esprit encore peu évolué est susceptible de constituer un barrage difficilement surmontable devant les efforts conjugués des autres participants à la séance — « vraiment irréprochables », ceux-là —, qui essayent de prendre la situation en main par le truchement de la prière.

« En conclusion, si les prières traditionnelles ne nous permettent pas d'en finir, nous avons le recours de « lancer un S.O.S. » à quelque esprit supérieur, autrement dit à l'esprit d'une personne qui se distinguait, de son vivant, par les plus nobles vertus. En lui demandant de bien vouloir nous aider à chasser l'esprit inférieur, nous parvenons, presque toujours, à accroître l'efficacité de nos propres énergies positives et à « gagner la bataille ».

« Les rares fois où le concours d'un esprit supérieur se révèle insuffisant, il ne nous reste plus qu'une seule solution : détecter qui est l'individu dont les énergies négatives expliquent le « séjour prolongé » de l'esprit inférieur, puis l'inviter à quitter la pièce... »

*
**

Odette Barat se référait aux dispositions à prendre dans le cadre d'une séance de *tables tournantes*, mais les issues préconisées s'appliquent aussi aux cas où les participants se servent d'un verre à pied, d'un oui-ja ou de n'importe quel autre support.

On peut se demander, cependant, quelles mesures doivent prendre les personnes qui ne croient ni à Dieu ni aux esprits. Eh bien, puisque les prières ou l'invocation de tel ou tel esprit bénéfique ne peuvent représenter une planche de salut pour elles, l'éventuelle arrivée d'un « pépin » entraîne la nécessité, dans leur cas, soit de prendre la fuite, soit de suivre l'exemple de Philippe Grancher et de ses amis* : attendre patiemment (et courageusement) que le ou les phénomènes inquiétants cessent d'eux-mêmes !

EN CONDITIONS NORMALES

Jusqu'ici, peut-être par excès de zèle, nous avons mis en relief l'existence de certains dangers. Mais, en fait, les procédés du spiritisme ne s'accompagnent de manifesta-

* Pages 52 et suivantes.

tions déplaisantes ou même traumatisantes que si elles sont utilisés à mauvais escient.

Oui, qu'ils aient été recueillis au siècle dernier ou tout récemment, les témoignages conduisent à la conclusion : *LES HOMMES ET LES FEMMES QUI RESPECTENT SCRUPULEUSEMENT L'ETHIQUE DU SPIRITISME SONT À L'ABRI DES « ACCIDENTS DE PARCOURS »* *.

Quant aux autres, s'il est vrai qu'ils courent des risques, le châtiment réservé aux *apprentis sorciers* n'est pas obligatoirement leur lot. Parfois, tout se passe bien, même pour eux. Comme déjà signalé*, les spirites en donnent l'explication suivante : *MECREANTS, SCEPTIQUES, CUPIDES, ARRIVISTES, OPPORTUNISTES, ETC. N'ESSUYENT PAS UN ECHEC, MAIS REÇOIVENT DES REPONSES SANS AVOIR A CRAINDRE D'ENNUIS QUELCONQUES, S'IL Y A ESPOIR QUE L'EXPERIENCE LES APPROCHE DES VALEURS SPIRITUELLES JUSQUE LA IGNOREES OU MEPRISEES PAR EUX...*

Cela dit, en l'absence de motivations attribuables à quelque *nécessité impérieuse*, voici comment il convient de clôre une séance :

— Quel que soit le support (table, oui-ja, etc.) signifier à haute voix ou mentalement (selon les circonstances) l'intention de mettre un terme à la communication et, le cas échéant, toujours à haute voix ou mentalement, exprimer le désir d'un contact prochain (indiquant, si possible, la date et l'heure), puis éloigner les mains de l'objet utilisé.

C'est tout. D'habitude, il n'en faut pas plus. Mais les spirites vraiment consciencieux vont jusqu'à réciter une prière, afin de contribuer à la poursuite la meilleure possible de l'évolution que l'esprit invoqué est censé accomplir.

Pour ce qui est des séances effectuées sans support, c'est-à-dire les fois où un *médium par incorporation* **, sert

---

* Voir dernier paragraphe du chapitre *Les questions à poser*.
** Voir chapitre *Les manifestations de la médiumnité*.

d'intermédiaire, il est recommandé de ne pas précipiter l'arrivée de la dernière phase, mais de patienter jusqu'à ce que le médium fasse savoir que le rapport établi a pris fin.

LA RÉACTION

A quoi bon revenir sur les séquelles qu'entraînent la faiblesse, certaines prédispositions ou encore les abus et l'accoutumance ? Envisageons, tout simplement, le cas de n'importe quelle personne en bonne santé et en pleine forme, qui accomplit une démarche individuelle ou participe à une séance collective. Obligatoirement, ce ne seront pas uniquement les émotions éprouvées qui la priveront d'une parcelle plus ou moins grande de son dynamisme pendant les minutes, heures ou journées qui suivront. Sa fatigue sera motivée aussi (et même essentiellement) par une *dépense exceptionnelle d'énergies.*

Selon les disons rationalistes, une telle dépense d'énergies serait la conséquence normale de l'effort de concentration, ainsi que de la tension nerveuse durant un laps de temps plus ou moins long.

Tout en étant les premiers à souligner que la pratique du spiritisme épuise, les spirites, eux, vont plus loin...

ÉNERGIES ABSORBÉES

Odette Barat déclare :

— Comme je l'ai déjà dit, il faut toujours tenir présent le fait que, pour avoir lieu, les phénomènes du spiritisme exigent notre propre concours. Parce que nous sommes la « batterie » qui met en condition l'esprit de se révéler à travers la typtologie* ou par n'importe quel autre moyen. Ainsi, tous ceux qui font appel à l'un ou l'autre des procédés spirites se déchargent d'une partie de leurs énergies, sans s'en rendre compte sur le moment. Ces énergies dégagées par nous sont absorbées par l'esprit, qu'il soit bénéfique ou maléfique. Pour lui, il s'agit de l'apport indispensable à l'abandon momentané de son état disons passif. La fusion de ses propres énergies éternelles avec les énergies des êtres vivants que nous sommes forme un fond énergétique dont la puissance sera proportionnelle à la quantité des énergies fournies par nous.

« Ça se passe donc comme avec le magnétisme. Avec la différence que, cette fois-ci, l'énergie humaine sert non pas à tonifier un organisme atteint de telle ou telle maladie, mais à doter un esprit de la capacité d'*agir*, au sens comme nous l'entendons ici-bas. »

DEGRÉ VARIABLE

Odette Barat poursuit :
— Ne quittons pas le magnétisme, puisque ses caractéristiques nous permettent aussi une autre comparaison. De même qu'un magnétiseur particulièrement chargé d'énergies, de forces vitales ou de fluide magnétique, peu importe le nom, parvient à obtenir la guérison ou le soulagement du patient, ceux d'entre nous qui ont des facultés médiumniques exceptionnelles parviennent à doter les esprits d'une ressource qui leur permet de se manifester avec une spectacularité peu commune. Ce qui explique pourquoi trois ou quatre personnes réunies autour d'une table ne la voient bouger que très peu ou pas du tout, alors que touchée ou simplement effleurée par une autre personne, cette même table sursautera aussitôt ou se soulèvera complètement, s'élancera vers l'autre bout de la pièce, etc.

* Procédé dit des *tables tournantes*.

« Que l'ampleur du phénomène dépende à la fois de la quantité et de la qualité des énergies que l'esprit extrait de nous, j'ai pu moi-même le constater à maintes reprises. Un jour, par exemple, l'un des participants — un jeune homme de grande stature et lourd — a tenté d'immobiliser le guéridon, en s'y appuyant de tout son poids, mais l'apport de la force médiumnique (c'est-à-dire du potentiel énergétique des autres assistants) était si accentué que le guéridon pouvait continuer la transmission des réponses sans le moindre inconvénient.

« L'expérience dont le héros était un esprit qui disait avoir été mon frère dans une lointaine vie antérieure était également impressionnante. Pour exprimer sa joie et sa gaieté d'avoir pu reprendre contact avec moi, il faisait sautiller la table en tous les sens, puis l'a complètement retournée, de sorte qu'elle était plaquée au sol, les pieds en l'air. Quatre des amis présents ont alors essayé de la remettre en position normale, en s'emparant, chacun, de l'un de ses pieds, mais ils avaient beau tirer, la table ne bougeait pas ! On aurait dit qu'elle était soudée au plancher, alors qu'elle pesait une quinzaine de kilos au plus...

« Je tiens également à évoquer le souvenir d'une séance où nous avons demandé à l'esprit s'il pouvait nous démontrer la portée de sa force en déplaçant la lourde armoire qui se trouvait dans la pièce. La réponse a été : " Oui, mais il faudrait la présence de plusieurs médiums. " Or, notre assistance était composée de cinq personnes, dont deux seulement avaient des facultés médiumniques prononcées.

« Tout ceci me conduit à attirer l'attention sur une autre similitude entre le magnétisme et le spiritisme. Après avoir dispensé ses soins, un magnétiseur est plus ou moins " lessivé ", en fonction aussi bien de sa constitution que — et même surtout ! — de la quantité des énergies qu'il a transmises au malade. Pour les participants à une séance de spiritisme c'est identique. Les plus fatigués seront les individus qui, même involontairement, auront fourni la majeure partie des énergies indispensables à la concrétisation des phénomènes, c'est-à-dire les personnes aux facultés médiumniques supérieures à la moyenne. Parce que, ne l'oublions pas, c'est auprès d'elles que les esprits trouvent principalement les énergies nécessaires à la démonstration de leur capacité de pouvoir accomplir des performances diverses, y compris celles qui, parfois, étonnent même le plus chevronné des spirites... »

Evidemment, nous ne sommes pas obligés de partager l'avis de ceux qui mettent en rapport notre perte d'énergies avec le « vampirisme » des esprits, mais une chose est certaine : *notre organisme réagit à une séance de spiritisme par le symptôme qui porte le nom de FATIGUE et l'ampleur de ce symptôme varie d'un individu à l'autre.*

III

LES PROCÉDÉS

Dans l'espoir de pouvoir connaître l'avenir, l'homme se sert d'un grand nombre d'arts divinatoires, et ce depuis la nuit des temps. L'intensité ou la grandeur d'une flamme, les positions que prennent en retombant les cailloux, coquillages, grains, etc., lancés en l'air, les figures dessinées par la cire ou le plomb fondus, les traces visibles dans les cendres préalablement exposées au vent, les oscillations d'un objet suspendu et bien d'autres ressources archaïques possèdent la particularité de laisser supposer que la réponse à la question posée vienne de la part de quelque esprit.

Il en va de même pour certaines des mancies de nos jours parmi les plus populaires. En effet, si nous acceptons l'idée que certaines entités désincarnées puissent nous dévoiler les secrets du passé, du présent et du futur, il ne reste qu'un pas à franchir pour penser que leur intervention se trouve à l'origine des phénomènes étranges.

Quoi qu'il en soit, la tendance générale est d'oublier que la démarche divinatoire faite par l'intermédiaire de la cartomancie, de la cafédomancie, de la radiesthésie, de la palomancie (Yi-King), etc., puisse attirer un « coup de pouce » de l'au-delà. Lorsqu'on parle de spiritisme, les procédés ci-après présentés entrent uniquement en ligne de compte.

73

PROCÉDÉ AVEC TABLE OU GUÉRIDON

LES CARACTÉRISTIQUES

L'OUTIL

Pendant longtemps, on partait du principe que seule une table a trois pieds constituait le moyen idéal — et encore, à condition d'être légère.

Puis, il s'est avéré que même une table classique à quatre pieds pouvait parfaitement convenir et que son poids importait peu.

La pratique a prouvé, en effet, qu'une table quelconque assez lourde donne des résultats satisfaisants, si les participants sont nombreux (plus de trois).

Il a été constaté, aussi, qu'un guéridon se désigne tout spécialement pour être utilisé dans le cadre d'une démarche individuelle ou lorsque le nombre des participants est limité (moins de trois ou quatre).

La matière ? Les avis sont unanimes : priorité absolue au bois !... c'est la raison pour laquelle les tables métalliques ou en matière plastique, verre, marbre, etc., sont habituellement bannies et ne donnent aucun résultat.

LES PRÉPARATIFS

Jadis, on attribuait de l'importance à une sorte de « mise en scène »

74

— dissimulation des glaces, à l'aide d'une voile ou d'un tissu quelconque ;

— pièce plongée dans l'obscurité (rideaux tirés, éclairage artificiel habituel éteint) ;

— allumage de bougies, et ceci avec des gestes plus ou moins rituels.

En outre, mais c'était facultatif, on exposait parfois le portrait de la ou des personnes dont il était prévu d'évoquer l'esprit.

Indépendamment de tout ceci, pour rehausser l'aspect « occultiste » de la séance, les participants étaient presque toujours habillés en noir et affichaient une attitude compassée de circonstance...

Aujourd'hui encore, de nombreux adeptes du spiritisme pensent qu'il est préférable de bannir les sources lumineuses vives. D'autres n'hésitent pas à pratiquer en plein jour, sans tirer les rideaux, ni fermer les volets, ni baisser les stores... ou, si la séance a lieu après le coucher du soleil, en laissant allumés les ampoules électriques, les tubes de néon, etc. Les bougies continuent, cependant, à jouir de la faveur de tous ceux qui souhaitent créer une ambiance « particulièrement propice ».

On ne songe plus à recouvrir les glaces, la tenue de sport n'est pas considérée comme inconvenante et il est assez rare qu'on mette en évidence la photo de la personne dont l'esprit sera appelé.

LE DÉROULEMENT

Avant de commencer, les participants désignent la personne qui conduira la séance du début à la fin ou se mettent en accord pour savoir dans quel ordre ils prendront la relève, chacun à son tour.

En l'absence d'une éventuelle prière commune, la première phase invoque l'atteinte d'un état de recueillement. S'il y a intention d'évoquer un esprit déterminé, les pensées sont dirigées vers lui et, mentalement, le désir de sa manifestation est exprimé.

Dans un deuxième temps, tout en continuant à observer le silence exigé par l'état de recueillement (et, le cas échéant, en poursuivant l'orientation de la pensée sur l'esprit qu'on aimerait pouvoir contacter), les participants peuvent, selon leurs préférences :

— effleurer à peine, du bout des doigts, la surface de la table ou du guéridon ;

— y poser les deux mains, mais très légèrement, presque imperceptiblement ;

— garder les mains suspendues, à quelques centimètres au-dessus de la surface de la table ou du guéridon.

En somme, ici encore, il n'y a pas vraiment de règle définie. Parfois, les effets se produisent même si le support n'est pas touché, mais il arrive aussi que l'emploi de « gros moyens » (mains posées) reste sans résultat... et ceci pour des raisons que les spirites et les parapsychologues expliquent différemment* !

Dès que, après un laps de temps variable, se soulevant ne serait-ce qu'à peine ou se mettant doucement à tourner, la table (ou le guéridon) esquisse un mouvement ou, en laissant entendre quelque craquement, fait comprendre que « quelque chose se passe » la personne choisie pour conduire la séance intervient.

Si la table (guéridon) a simplement craqué ou s'est légèrement soulevé, les propos traditionnels à tenir sont les suivants :

— Esprit es-tu là ?... Si oui, frappe un coup !

Si la table (guéridon) s'est « animée » en se révélant par un mouvement circulaire achevé ou interrompu, on dit :

— Esprit, confirme ta présence en faisant tourner la table (guéridon) dans le sens des aiguilles d'une montre.

Le signal obtenu (coup frappé ou tournoiement), c'est le moment d'établir le code :

* Voir chapitre *Spiritisme et Parapsychologie* (page 238).

Procédé avec table ou guéridon

— Esprit, je te demande de frapper dorénavant un coup pour « Oui » et deux coups pour « Non ». Tu pourras aussi nous répondre par des phrases entières. Dans ce cas, tu frapperas un coup pour la lettre « A », deux coups pour la lettre « B », trois coups pour la lettre « C », quatre pour la lettre « D », etc.

Ou bien, avec une *table tournante,* on propose :

— A partir de cet instant, pour nous signifier un « Oui », fais tourner la table (guéridon) dans le sens des aiguilles d'une montre. Dans le sens contraire, pour nous répondre par un « Non ». Si tu peux nous répondre par des phrases entières, fais tourner la table (guéridon) complètement une fois pour la lettre « A », deux fois pour la lettre « B », trois fois pour la lettre « C » et ainsi de suite...

Après quoi, la personne qui conduit la séance procède à l'*identification de l'interlocuteur* *.

Si tout paraît en ordre, autrement dit si les éléments recueillis laissent supposer que l'interlocuteur est l'esprit convié à la séance ou bien une entité désincarnée nullement invitée à venir, mais de nature bienveillante, le dialogue s'engage...

Pour ce qui est de la clôture de la séance, les indications ont été données dans le chapitre *La dernière phase...* et il n'y a rien à ajouter !

Si le procédé est fort simple en présence de questions induisant un « Oui » ou un « Non », il ne l'est plus quand il s'agit de prendre connaissance de communications moins laconiques. C'est d'ailleurs la raison pour laquelle Allan Kardec donna très tôt la priorité à l'*écriture automatique.* Son exemple fut suivi par la plupart de ses disciples. Mais, de par le monde, beaucoup de spirites

* Voir chapitre *L'identification* (page 34).

utilisent encore aujourd'hui exclusivement la procédure « oui/non ». Ils disent :

— Ce n'est peu commode qu'à première vue. Avec l'habitude, traduire en mots et en phrases le nombre des coups ou des rotations devient facile, comme le déchiffrage immédiat des signaux en morse l'est pour un télégraphiste.

LES ORIGINES

Comme le signale Sir Conan Doyle, dans son *The History of spiritualism* paru en 1926 *, les « esprits frappeurs » défrayaient parfois la chronique déjà au cours des xvie, xviie et xviiie siècles, mais il a fallu attendre le xixe pour que leurs tentatives d'entrer en communication avec les vivants puissent enfin aboutir au succès...

UNE NUIT MÉMORABLE

Le 31 mars de l'an de grâce 1848, des bruits nocturnes inexplicables, qui inquiètent la famille Fox depuis plusieurs jours, prennent une ampleur exceptionnelle. La maison en bois toute entière, et les meubles, émettent des sons sourds de plus en plus puissants, comme s'ils étaient percutés par un marteau manipulé avec une force sans cesse grandissante.

Terrorisés, le cultivateur John D. Fox et sa femme ne savent plus quoi faire. Leurs filles, Margaret et Kate, qui ont respectivement quatorze et onze ans, ne paraissent pas, elles, éprouver la même peur et la cadette va jusqu'à s'exclamer :

— Monsieur Casse-pieds, fais comme moi !

Au claquement des mains de la fillette répond un son

* Réédité en 1989, par Psychic Press Ltd, Londres.

analogue. Elle n'applaudit plus et, aussitôt, la mystérieuse source acoustique observe le silence, elle aussi.

Encouragée (par *esprit sportif*, comme écrira Mme Fox dans son attestation portant la date 11 avril 1848), la petite Margaret imite l'exemple de sa sœur, en demandant à « Monsieur Casse-pieds » :

— A présent, fais exactement comme moi. Compte un... deux... trois... quatre !

A chaque fois, dès qu'elle claque les mains, tel un écho, se manifeste le phénomène sonore occulte.

Kate reprend la parole, en se tournant vers sa mère :

— Oh ! je sais, maman, ce que c'est. Demain, c'est le premier avril et quelqu'un essaye de se moquer de nous...

Mais Mme Fox veut en avoir le cœur net et elle dit :

— Qui que tu sois, je voudrais savoir si tu sais des choses... Je vais prononcer successivement le nom de tous mes enfants et tu frapperas autant de coups qu'ils ont d'années...

Le test dissipe les doutes. Non seulement le nombre des coups correspond à l'âge des six enfants dont les noms ont été prononcés, mais encore, après un silence, se laissent entendre trois autres coups, allusion à un septième enfant (non cité, celui-là !), mort à trois ans...

UN MEURTRE

Ayant acquis la certitude de se trouver en présence de « quelque chose dotée d'intelligence », Mme Fox finit par s'enhardir :

— Est-ce que c'est un être humain qui répond à mes questions avec tant d'exactitude ?

Silence.

— Est-ce un esprit ? Si oui, réponds par deux coup.

Immédiatement, deux coups.

— Si c'est un esprit auquel préjudice a été porté, frappe deux fois.

Sans tarder, deux coups se laissent entendre et, en

même temps, la maison donne l'impression d'être secouée par un tremblement de terre.

— Le préjudice t'a-t-il été porté dans cette maison ?

Réponse affirmative.

— La personne qui t'a porté préjudice vit-elle toujours ?

Encore une fois, la réponse est un *oui*, puis, en persévérant, la fermière parvient à réunir quelques autres éléments : il s'agirait de l'esprit d'un homme marié, père de cinq enfants (deux fils et trois filles), tué à l'âge de trente-cinq ans, dans la maison actuellement habitée par les Fox et enterré à cet endroit.

Des voisins sont conviés à constater ce qui advient et ainsi dix adultes assistent-ils à la toute première des séances de spiritisme. L'un d'eux, un certain mister Duesler, prend la relève de la maîtresse de maison et ses questions pertinentes obtiennent des réponses qui apportent des détails sur les circonstances du meurtre : le forfait a été accompli cinq ans auparavant, un mardi à minuit, avec l'aide d'un couteau de boucher ; le cadavre de la victime égorgée dans la chambre orientée vers l'est a été descendu à la cave, puis dissimulé sur place.

Le lendemain, toujours vers minuit l'esprit précisera que l'auteur du crime s'est emparé d'une somme d'approximativement cinq cents dollars.

Le jour suivant, le 1ᵉʳ avril 1848, la fouille dans la cave de la *maison hantée* de Hydesville (village proche de Rochester, Etat de New York, U.S.A.) échoue. Mais celle effectuée au cours de l'été de la même année permet la localisation de quelques cheveux et ossements humains. Cinquante-six années plus tard, en novembre 1904, on découvrira par hasard les parties jusque-là manquantes du squelette, ainsi que des objets personnels, ayant appartenu à un marchand ambulant venu proposer ses articles aux époux Bell (locataires de la maison, avant que s'y installe la famille Fox) et « disparu de la circulation » après avoir été vu avec eux par la servante, en 1843, autrement dit effectivement à l'époque du meurtre révélé en 1848 à M. Doestler et aux autres « enquêteurs improvisés »...

ACCLAMÉES OU HUÉES

Les nouvelles courent vite à Hydesville. Les Fox sont obligés de changer de domicile, tant les curieux affluent.

Il s'avère, cependant, que même ailleurs, les sœurs Margaret et Kate, tout comme les gens qui se trouvent en leur compagnie, entendent des coups analogues à ceux qui avaient donné naissance à la première opportunité de *communiquer avec l'au-delà* par l'intermédiaire d'un code spécifique.

Dans cette deuxième moitié du XIXe siècle, spécialement en Amérique, l'industrialisation prend un essor inattendu. Les signes avant-coureurs de l'impact futur de la civilisation de consommation apparaissent. Les nostalgiques d'un passé considéré comme une sorte de paradis perdu prêtent une oreille particulièrement attentive à la nouvelle, qui incarne une réalité en fin de compte plus importante pour l'individu que celle fournie par les machines.

Sollicitées de tous les côtés, Margaret et Kate Fox doivent démontrer leur capacité médiumnique devant un public de plus en plus nombreux. Elles font l'objet d'innombrables investigations scientifiques. Dans l'impossibilité de détecter une supercherie quelconque, les médecins, physiciens et autres examinateurs ne peuvent que forger des théories...

Quoi qu'il en soit, avant même de devenir adultes, les sœurs Fox sont appelées à être connues par toutes les couches de la population américaine, en raison des innombrables articles que la presse leur consacre. Elles donnent des conférences, et deviennent bientôt les porte-drapeaux d'associations formées pour la propagation de la doctrine spiritualiste.

Procédé avec table ou guéridon

Et, selon les convictions religieuses des témoins qui les entendent évoquer leurs expériences ou les observent « en pleine action », elles sont tantôt frénétiquement acclamées, tantôt impitoyablement huées !

ASCENSION RAPIDE

Appuyé par les uns, combattu par les autres, le mouvement gagne du terrain très rapidement. D'autant que se multiplient les hommes ou les femmes qui, à leur tour, paraissent pouvoir *engager des conversations* avec l'au-delà. Même des éminences de la société américaine, y compris des hommes d'Etat, consultent les spirites.

L'une des premières personnalités du Nouveau Monde à croire aux médiums est le sénateur Talmadge. Dans son journal, il consigne les messages qui lui sont communiqués et c'est ainsi que ses annotations permettront de constater une surprenante analogie entre les réponses obtenues par deux médiums domiciliés en des coins différents des Etats-Unis, et consultés à un intervalle de deux années. La question était : « *Quelle est le but réel de ce mouvement, qui clame que ses adeptes sont les intermédiaires entre les vivants et les morts ?* » L'un des médiums transmettra la réponse : « *De réaliser l'union harmonieuse de l'humanité et de faire acquérir aux sceptiques la conviction de l'immortalité de l'âme.* » L'autre rapportera : « *D'unir l'humanité et de convaincre les esprits sceptiques : l'âme est immortelle* »...

Dès 1852, c'est-à-dire seulement quatre années après le tout premier *dialogue* ayant pour cadre la maison en bois de Hydesville, une spirite américaine, Mme Hayden, devient « missionnaire » en Angleterre. En dépit de l'accueil extrêmement réservé que lui réservent la presse et les milieux scientifiques, elle poursuit son apostolat courageusement, et les coups entendus en sa présence finissent par dissiper le scepticisme, entre autres, d'un professeur universitaire aussi rationaliste que le mathématicien et philosophe De Morgan. Le nombre des adeptes grossit jour après jour. Assister à une séance devient de bon ton, et voilà comment le spiritisme ne tarde pas à traverser la Manche, pour sensibiliser l'opinion publique française...

QUELQUES REMARQUES
SUR ALLAN KARDEC

Sans nul doute, Allan Kardec fut le plus intègre et le plus efficace des premiers défenseurs français du mouvement originaire des Etats-Unis, qui lui doit d'ailleurs son appellation de *spiritisme*. Dans son ouvrage intitulé « *Le Livre des Médiums* » *, il porta à la connaissance du public foule de ses propres observations, relatives aux divers phénomènes, et laissant à penser que les esprits puissent réellement se manifester de telle ou telle manière. Quant aux *tables tournantes*, après la découverte de pratiques divinatoires courantes chez les Romains, à l'aide, justement, de tables « parlantes » signalées par l'historien Tertullien, il établit la liste des caractéristiques majeures du procédé, avec une description objective dont voici quelques extraits...

L'IMPÉRATIF DE LA MÉDIUMNITÉ

> ... *Pour la production du phénomène, l'intervention d'une ou plusieurs personnes douées d'une aptitude spéciale, et qu'on désigne sous le nom de* médiums, *est nécessaire. Le nombre des coopérants est indifférent, si ce n'est que, dans la quantité, il peut se trouver quelques médiums inconnus. Quant à ceux dont la*

* Ed. Dervy-Livres.

85

médiumnité est nulle, leur présence est sans résultat et même plus nuisible qu'utile par la disposition d'esprit qu'ils y apportent souvent.

Les médiums jouissent, sous ce rapport, d'une puissance plus ou moins grande, et produisent, par conséquent, des effets plus ou moins prononcés; souvent une personne, médium puissant, produira à elle seule beaucoup plus que vingt autres réunies; il lui suffira de poser les mains sur la table pour qu'à l'instant elle se meuve, se dresse, se renverse, fasse des soubresauts ou tourne avec violence.

Il n'y a aucun indice de la faculté médiumnique; l'expérience seule peut la faire connaître. Lorsque, dans une réunion, on veut essayer, il faut tout simplement s'asseoir autour d'une table, et poser à plat les mains dessus, sans pression ni contention musculaire...

La seule prescription qui soit rigoureusement obligatoire, c'est le recueillement, un silence absolu, et surtout la patience si l'effet se fait attendre. Il se peut qu'il se produise en quelques minutes, comme il peut tarder une demi-heure ou une heure; cela dépend de la puissance médiumnique des coparticipants.

LA DIVERSITÉ DES MANIFESTATIONS

... Lorsque l'effet commence à se manifester, on entend assez généralement un petit craquement dans la table; on sent comme un frémissement qui est le prélude du mouvement; elle semble faire des efforts pour se démarrer, puis le mouvement de rotation se prononce; il s'accélère au point d'acquérir une rapidité telle que les assistants ont toutes les peines du monde à le suivre. Une fois le mouvement établi, on peut même s'écarter de la table, qui continue à se mouvoir en divers sens sans contact.

Dans d'autres circonstances, la table se soulève et se dresse tantôt sur un seul pied, tantôt sur un autre, puis reprend doucement sa position naturelle. D'autres fois, elle se balance en imitant le mouvement de tangage ou de roulis. D'autres fois, enfin, mais pour cela il faut une puissance médiumnique considérable, elle se détache entièrement du sol, et se maintient en équilibre dans l'espace, sans point d'appui, se soulevant même parfois jusqu'au plafond, de façon à ce qu'on puisse passer par-dessous; puis elle redescend lentement en se balançant comme le ferait une feuille de papier, ou bien tombe violemment et se brise, ce qui prouve d'une manière patente qu'on n'est pas le jouet d'une illusion optique.

Un autre phénomène qui se produit très souvent, selon la nature du médium, c'est celui des coups frappés dans le tissu même du bois, sans aucun mouvement de la table; ces coups quelquefois très faibles, d'autres fois assez forts, se font également entendre dans les autres meubles de l'appartement, contre les portes, les murailles et le plafond... Quand ils ont lieu dans la table, ils y produisent une vibration très appréciable par les doigts, et surtout très distincte quand on y applique l'oreille.

SUR COMMANDE

Nous avons vu la table se mouvoir, se soulever, frapper des coups, sous l'influence d'un ou de plusieurs médiums. Le premier effet intelligent qui fut remarqué, ce fut de voir ces mouvements obéir au commandement; ainsi, sans changer de place, la table se soulevait alternativement sur le pied désigné; puis, en retombant, frappait un nombre déterminé de coups, répondant à une question. D'autres fois la table, sans le contact de personne, se promenait toute seule dans la chambre, allant à droite ou à gauche, en avant ou en arrière, exécutant divers mouvements sur l'ordre des assistants. Il est bien évident que nous écartons toute supposition de fraude; que nous admettons la parfaite loyauté des assistants, attestée par leur honorabilité et leur parfait désintéressement...

Au moyen des coups frappés, et surtout par les coups intimes dont nous venons de parler, on obtient des effets encore plus intelligents, comme l'imitation des diverses batteries du tambour, de la petite guerre avec feux de file ou de peloton, canonnade ; puis le grincement de la scie, les coups de marteau, le rythme de différents airs... On s'est dit que, puisqu'il y avait là une intelligence occulte, elle devait pouvoir répondre aux questions, et elle répondit en effet par oui ou par non, au moyen d'un nombre de coups de convention. Ces réponses étaient bien insignifiantes, c'est pourquoi on eut l'idée de faire désigner les lettres de l'alphabet, et de composer ainsi des mots et des phrases...

CONFIDENCES DE VEDETTES

Si, au début de sa carrière, **Gérard Depardieu** employait régulièrement le premier des procédés développés à partir de l'expérience des sœurs Fox, d'autres *stars* s'y sont également intéressées, tantôt de près, tantôt de loin...

DEPUIS L'ADOLESCENCE

La chanteuse et comédienne **Bambou** parle sans détour :

— Lorsque mes camarades de classe m'ont parlé de la possibilité d'interroger les morts, par le truchement d'un guéridon à trois pieds, j'ai tout de suite décidé d'en profiter. Voilà comment j'ai réussi à me faire admettre dans le cercle dont les membres, des jeunes filles un peu plus âgées que moi, se réunissaient régulièrement pour faire du spiritisme.

« La toute première fois, il y a eu identification du cousin décédé de l'une des personnes présentes. Celle-ci affirmait que les réponses lui permettaient de n'avoir aucun doute : c'était bel et bien son cousin !... Mais j'étais plutôt sceptique.

« A vrai dire, aujourd'hui encore, tout en ayant fait tourner les tables à d'innombrables reprises, je ne suis pas entièrement convaincue. Je voudrais pouvoir y adhérer, mais, en même temps, je me demande si ceux qui pensent que la mort est un terminus n'ont pas raison. En fait, tantôt je souhaite qu'ils aient tort, tantôt je voudrais les croire...

Le chanteur **Leny Escudero** est un sceptique :
— Un beau jour, des amis qui avaient l'habitude de dialoguer avec les trépassés m'ont proposé d'assister à l'une de leurs séances. J'ai accepté, par curiosité. La déception allait être mon lot, puisque la table est demeuré immobile.

« Mes amis étaient fort contrariés et m'ont appris : " Avant que tu te joignes à nous, ça marchait très bien ! "... Pour ne pas être accusé de mauvaise foi, je me suis prêté à leur jeu encore trois ou quatre fois. Mais ça devait être toujours pareil. Il suffisait que je sois là pour que les esprits brillent par leur absence. J'ai eu droit à cette explication : " C'est parce que tu es sceptique. Le phénomène se produit seulement si tous les participants sont réceptifs ! ". Les choses en sont restées là. »

LE POINT D'INTERROGATION

Vers la fin des années quatre-vingt, dans le cadre d'un interview essentiellement axé sur la chiromancie (à laquelle il faisait entière confiance), **Serge Gainsbourg** me confiait :
— Le spiritisme ?... Tu vois, en dépit d'une éducation judéo-chrétienne, j'ai toujours été et reste profondément athée. Mais mon athéisme n'exclut pas la préoccupation post-mortem. Même si Dieu et Satan, paradis et enfer ou encore résurrection ou réincarnation me paraissent inconcevables, je suis intrigué par le point d'interrogation qui se dresse au terme de la vie. C'est pourquoi je ne refuse pas de m'intéresser aux démarches spéculatives,

ou pragmatiques, de ceux qui ont de la mort une conception différente de la mienne...

« Bambou, par exemple, est plus ou moins persuadée de la pérennité de l'âme et s'adonne souvent au spiritisme. Pour ne pas la gêner, je m'isole dans une autre pièce chaque fois qu'elle fait tourner la table, tantôt seule, tantôt avec ma fille Charlotte. Après la séance, elle se précipite et m'en fait le récit. Je ne le nie pas, il arrive qu'elle m'apporte ainsi des « révélations troublantes ». Les concordances entre la réalité et ces messages « d'outre-tombe » ne réussissent cependant pas à vaincre mon cartésianisme.

« Cela dit, la perspective d'un néant total ne signifie nullement, chez moi, une appréhension démesurée de la mort. Je crains, en revanche, tout ce qui la précède, notamment le défilé des médecins et des prêtres. Je n'arrive pas à admettre que les représentants de la médecine et de la religion puissent avoir le droit de terroriser l'individu avec leurs racontars, qu'on soit mal en point ou déjà moribond. Et puis, finalement, à mon avis, il y a quelque chose de pire que la mort. Quoi ? La démence, la fin de l'éveil psychique et intellectuel tout court, la disparition de l'intérêt pour ce qui pouvait passionner. Je suis d'ailleurs constamment hanté par la phrase de Bossuet, qu'avait citée l'avocat de Flaubert. Oui, je le crois, la plus grande des calamités pouvant frapper l'être humain se produit au moment où ses impulsions cessent, à la suite de l'arrêt du mouvement oscillatoire du balancier qu'il porte en lui... »

ESPRITS ET ESPRITS

Après l'une des centaines et centaines de représentations de son spectacle *Les Sept Miracles de Jésus*, **Henri Tisot** m'a longuement parlé de sa rencontre avec la spiritualité, et il a ajouté :
— ... La tolérance compte parmi les principaux préceptes de la franc-maçonnerie et, si l'on y regarde de près,

elle n'est pas étrangère, non plus, à la pensée juive et à celle des chrétiens de la première heure. Moi, en tout cas, je respecte l'opinion des partisans de la théorie de la réincarnation, même si je n'y adhère pas entièrement...

« Paradoxe, j'ai la conviction d'avoir eu des vies antérieures — entre autres, dans l'enveloppe charnelle d'un rabbin ou, du moins, d'un lettré qui se consacrait aux études talmudiques —, mais je rejoins, parallèlement, la croyance : les âmes parfaites s'éloignent définitivement de notre sphère, pour se retrouver près de l'Etre Suprême, tandis que les âmes imparfaites gagnent une zone intermédiaire, dans l'attente d'une éventuelle réincarnation.

« En somme, par une telle synthèse primaire des approches bouddhiste et chrétienne, je pense que seuls les esprits non purifiés peuvent entrer en contact avec nous. Voilà pourquoi je n'ai jamais voulu faire des expériences de spiritisme. A partir de l'instant où il m'est impossible d'entrer en rapport avec un esprit de catégorie supérieure — celui de ma grand-mère, par exemple, ou de n'importe quelle autre personne ayant mené une existence irréprochable —, à quoi bon faire tourner les tables ?... »

PROCÉDÉ AVEC OUI-JA

LES CARACTÉRISTIQUES

L'OUTIL

Vendu principalement dans des boutiques spécialisées, telles les librairies ésotériques, l'oui-ja ressemble vaguement à un patin à roulettes. Mais seules les trois ou quatre roulettes (selon le fabricant) sur lesquels il se repose sont en métal ainsi que la fléchette, ou pointe, fixée sur ou sous sa partie antérieure — qui peut d'ailleurs être dotée d'un dispositif prévu pour la fixation d'un crayon ou d'un stylo. Son corps proprement dit est habituellement en bois.

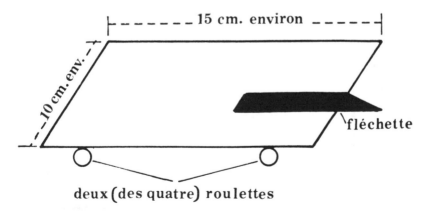

deux (des quatre) roulettes

Nous sommes donc en présence d'une planchette mobile, de forme le plus souvent ovaloïde. Sa dimension dépasse légèrement celle de la main d'un adulte.

Les bricoleurs n'hésitent pas à préparer eux-mêmes leur propre oui-ja... (cf. page 93)

LES PRÉPARATIFS

Sur la partie supérieure d'une feuille de papier (à dessin) assez solide et grande, c'est-à-dire mesurant au moins 70 × 70 centimètres, les vingt-six lettres de l'alphabet doivent être écrites ou dessinées, bien espacées et en deux rangées horizontales, ainsi que les mots OUI, à gauche, et NON, à droite, comme indiqué ci-dessous...

Procédé avec oui-ja

Après quoi, avec un ruban adhésif ou autrement, il ne reste qu'à fixer la feuille sur la surface (impeccablement lisse) d'une table quelconque.

Pour favoriser l'atteinte de l'état de détente ou même de recueillement qu'exige l'opération, il est utile d'opérer dans une pièce plongée dans la pénombre (éclairage assuré par une ou deux bougies) et à l'abri de tout bruit.

Ces conditions ayant été réunies, comme avec les tables dites tournantes, deux possibilités se présentent :

— appeler un esprit déterminé (celui d'un parent, d'un ami...) ;

— donner « carte blanche » à qui veut bien se présenter.

S'il est souhaité le concours de l'esprit d'une personne connue de son vivant, il faut intensément évoquer son souvenir. (Le cas échéant, la contemplation de sa photographie peut faciliter « l'établissement du contact ».) Puis, par la pensée, la ou les *questions précises* préalablement sélectionnées sont à formuler (établir leur liste quelques heures avant la séance, à tête reposée.)

En l'absence de l'intention d'interroger un esprit déterminé, les pensées sont dirigées uniquement sur la ou les questions choisies.

Dans les deux cas, l'étape suivante consiste à *placer l'oui-ja au milieu de la feuille.*

A partir de cet instant, tout en continuant à penser à la ou aux questions, *la main doit être gardée très légèrement posée sur l'oui-ja,* jusqu'à la fin de la séance. (La main droite pour les droitiers, la gauche pour les gauchers.)

Le plus important et, peut-être, le plus difficile, sera de *faire abstraction totale de la main posée sur l'oui-ja.* Il faut « oublier qu'elle existe », la laisser suivre les mouvements de l'oui-ja, sans jamais essayer de les influencer de quelque manière que ce soit. Celui qui active, ralentit, interrompt, arrête ou, pire, dirige les mouvements, fausse obligatoirement le déroulement du procédé et ne peut pas s'attendre à une réponse génuine.

A noter, ici encore, la naissance du mouvement est habituellement précédée par un frémissement ou une vibration à peine perceptibles du support. Puis, selon les cas, l'oui-ja peut :

— ne pas bouger du tout ;

— esquisser un déplacement, puis s'arrêter plus ou moins brusquement ;

— se diriger vers l'une ou l'autre des parties non marquées de la feuille ;

— tourner en rond ;

— avancer vers le mot « oui » ou vers le mot « non » ;

— désigner successivement diverses lettres de l'alphabet, formant ainsi un mot ou même des phrases entières.

Il ne suffit cependant pas de s'abstenir de toute intervention consciente et directe, notamment par une action manuelle. Il est primordial, aussi, de ne pas exercer un impact conscient par la voie purement et simplement mentale. Ce que signifie que l'opérateur dont les pensées tentent d'orienter les déplacements de l'oui-ja « triche ». (Au même titre, si l'opération n'est pas individuelle, mais effectuée en présence d'une ou plusieurs personnes venues « consulter », il est indispensable qu'aucune d'entre elles ne cherche à favoriser mentalement l'obtention d'une réponse.)

Négative ou positive, une réponse doit être considérée comme définitive ; il est formellement déconseillé de reposer la même question, pour obtenir une confirmation par exemple, ou parce que la réponse obtenue semble « absurde », « peu claire », etc.

Enfin, toujours comme avec les *tables tournantes*, la patience s'impose : si, le plus souvent, le processus s'enclenche assez rapidement ou même immédiatement, parfois on se trouve dans l'obligation d'avoir à attendre plus ou moins longuement. Mais, en règle générale, la patience porte ses fruits... spécialement si l'état de recueillement requis est sauvegardé !

Cela dit, insister s'avère inutile les (rares) fois où même une bonne demi-heure d'attente reste sans résultat.

HISTORIQUE

Comment tout a commencé ? Allan Kardec résuma le processus en ces termes :

> « ... *Les premières communications de ce genre eurent lieu en adaptant un crayon au pied d'une table légère posé sur une feuille de papier. La table, mise en mouvement par l'influence d'un médium, se mit à tracer des caractères, puis des mots et des phrases. On simplifia successivement ce moyen en se servant de petites tables grandes comme la main, faites exprès, puis de corbeilles, de boîtes de carton et enfin de simples planchettes. L'écriture était aussi courante, aussi rapide et aussi facile qu'avec la main...* »

EFFICACITÉ INCONTESTABLE

Parmi les scientifiques anglais qui se vouaient avec la plus grande objectivité à l'étude des phénomènes provoqués par les médiums de première heure, le plus illustre était **Sir William Crookes** (1832-1919). Membre de la Royal Society dès 1863, comblé d'honneurs et de récompenses pour ses travaux dans les domaines de la physique et de la chimie (entre autres, l'Académie Française des Sciences lui décerna la Médaille d'or et un Prix de trois mille francs, en 1880), il devait explorer l'univers « visible et audible » du spiritisme de 1870 à 1874. Aucun des procédés employés à cette époque-là n'échappa aux vérifications consciencieuses et perspicaces effectuées par lui, au besoin à l'aide d'un arsenal d'instruments optiques, acoustiques, plus ou moins sophistiqués. Mais, pour reconnaître *l'efficacité incontestable* de l'oui-ja, le résultat d'un test fort simple lui parut suffisant...

« *... Une dame écrivait automatiquement au moyen de la planchette ; j'essayais alors de trouver un moyen pour prouver que cette écriture n'était pas due à un mouvement inconnu de son cerveau. La planchette, comme elle le fait toujours, indiquait très bien ce qui suit : qu'étant mise en mouvement par la main et le bras de la dame, la volonté dirigeante appartenait à un être invisible, qui, en employant le système cérébral de cette personne, en jouait comme on le fait sur un instrument de musique ; et c'est ainsi que l'être invisible faisait mouvoir ses muscles. Je dis alors à cette intelligence : " Pouvez-vous voir ce qu'il y a dans cette chambre ? " " Oui ", écrivit la planchette. " Pouvez-vous lire ce journal ? ", dis-je en mettant mon doigt sur un numéro du* Times *qui était derrière moi, mais sans le regarder. " Oui ", fut la réponse de la planchette " Bien, dis-je, si vous pouvez le voir, écrivez le mot qui est maintenant couvert par mon doigt, et je vous croirai. " La planchette commença à se mouvoir doucement et, avec grande difficulté, le mot " however " fut écrit. Je me retournai et je vis que le mot " however " était couvert par le bout de mon doigt. Notons que j'avais exprès évité de regarder le journal en faisant cette expérience ; il était impossible à la dame d'avoir vu aucun des mots du journal, car elle était assise à une table, et le* Times *était sur une autre table placée derrière mon corps, qui le cachait complètement* *. »

---

* Citation d'un texte du professeur Crookes, dans l'ouvrage de Louis Jacolliot intitulé *Le spiritisme dans le monde* (Ed. Slatkine).

DE FIL EN AIGUILLE

La fragilité et l'usure rapide des crayons ? Le desséchage parfois instantané de l'encre sur la pointe de la plume ?... Pour ces causes et pour d'autres, dès la deuxième moitié du siècle dernier, nombre d'adeptes de la planchette prirent l'habitude de ne plus glisser crayon ou plume dans le trou prévu à cet effet, et de se fier uniquement aux indications de la fléchette métallique fixée au centre de la partie antérieure de leur outil.

En somme, ce qui était prédestiné à être mondialement connu sous l'appellation de *oui-ja*, allait progressivement devenir un support plus souvent utilisé en vue de la *désignation* des lettres de l'alphabet, etc. que dans le but d'une « écriture indirecte » concrétisée par son intermédiaire.

L'invention du stylo à bille ne devait pas modifier le cours des choses : aujourd'hui encore, à une époque où sa popularité est grande (spécialement aux Etats-Unis), l'oui-ja est considéré, avant tout, comme un moyen permettant le *déchiffrage* de messages, alors que les communications écrites relèvent de procédés qui n'impliquent pas l'utilisation ni de planchette ni de quelque autre support similaire.

Qu'il en soit ainsi résulte, entre autres, de la description du procédé que formula, au début des années cinquante, l'éminent philosophe **Gabriel Marcel** :

> « ... *On sait que c'est une planchette mobile pourvue d'une pointe ; on la place au centre d'une grande feuille de carton, sur laquelle figurent les lettres de l'alphabet ; on pose ensuite la main sur la planchette, non sans s'être mis dans un état de relaxation aussi complète que possible, et on attend que la planchette file en quelque sorte sous la main.* »

POUR OU CONTRE?

L'oui-ja est le « télégraphe sans fil » préféré des hommes et des femmes qui, pour une raison ou une autre, hésitent à participer aux séances collectives, ou bien n'en ont pas la possibilité. En effet, autant les *tables tournantes* ou encore le *verre à pied* ne fonctionnent que très rarement en présence d'un seul opérateur, autant l'oui-ja convient parfaitement à une démarche individuelle, spécialement si la personne ne se sent pas mûre pour pratiquer *l'écriture automatique*, qui implique, elle, quelques impératifs particuliers que nous verrons plus loin...

Indépendamment de son avantage de pouvoir satisfaire ceux qui y font appel sans avoir à partager leurs secrets avec autrui, le procédé de l'oui-ja possède aussi celui de répondre aux exigences des initiés désireux de « prêter main-forte » à un tel ou un tel de leur entourage familial, amical ou professionnel. Tout comme le musicien consulté par Hélène F., les nombreux possesseurs d'un oui-ja s'en servent souvent pour faire le bien autour d'eux, plus que dans le but de résoudre leurs propres problèmes...

UTILITÉ DÉMONTRÉE

Professeur de lycée, Jean G., de Vincennes, m'a précisé :

— En ce qui me concerne, je trouve inadmissible que le spiritisme puisse constituer un jeu de société prétexte à réanimer une soirée où, après le café et le digestif, les gens ne savent plus quoi faire. Sans aller jusqu'à insister sur ses aspects doctrinaux, sur l'idéal poursuivi par ses adeptes convaincus, je tiens seulement à faire allusion aux cas qui m'ont tout spécialement démontré quel rôle constructif le spiritisme pouvait jouer dans l'existence d'êtres affligés, malheureux, ou désorientés...

« Grâce au oui-ja, il m'a été possible de donner du courage à des parents qui ne parvenaient pas à se remettre de la perte prématurée d'un fils ou d'une fille.

« Par le même moyen, j'ai réussi à transmettre des conseils judicieux à certains de mes élèves qui étaient auparavant incapables de progresser dans leurs études.

« A plusieurs reprises, l'oui-ja m'a aussi permis de rassurer, par la perspective de la réincarnation, des amis ou des parents atteints d'une maladie incurable et jusqu'à là incapables d'assumer leur sort.

Au cours des seuls derniers dix mois, j'ai eu la joie de pouvoir communiquer quatre fois à des couples amis des messages qui allaient les aider à surmonter des difficultés relationnelles et à sauver leur union.

« Ce ne sont que quelques exemples. Depuis que je suis familiarisé avec le procédé, j'ai eu l'occasion d'effectuer des interventions sur la demande d'une bonne centaine de personnes. Il faudrait un livre entier, si je voulais signaler en détail les divers problèmes qui ont pu être résolus ! »

ÉCHEC PARTIEL

A l'autre extrême, la fonctionnaire Jeannine B., de Paris, se plaint :

— Je ne suis pas prête à me rebrancher sur l'oui-ja. Une amie m'a prêté le sien il y a deux ans environ, me recommandant d'en prendre grand soin, parce qu'il lui avait été offert par sa grand-mère, quelques jours avant sa mort. J'espérais avoir une réponse d'une part au sujet d'un problème sentimental, d'autre part pour savoir si je risquais de « lâcher la proie pour l'ombre » en donnant suite à une proposition faite par une entreprise privée.

« La première fois, l'oui-ja ne démarrait pas, il demeurait tout aussi inerte que la feuille de carton scotchée sur la table.

« La deuxième fois, quelques jours plus tard, il s'est mis à bouger presque tout de suite, mais en entraînant ma main dans tous les sens, et si vite que je n'y ai rien compris du tout.

« Jamais deux sans trois : le lendemain j'ai récidivé. Comme la veille, j'ai commencé en demandant si j'avais intérêt à rompre avec le garçon qui me causait tant de peine. Le machin s'est mis à avancer, sa pointe tournée vers le mot " oui ". Bon, je l'ai ramené au centre de la feuille, puis ai posé la question relative à ma carrière. Alors, là, il devait se passer quelque chose que je ne suis pas prête d'oublier !...

« L'oui-ja courait tantôt jusqu'au mot " oui ", tantôt jusqu'au mot " non ", puis s'est tout simplement envolé, comme propulsé par un moteur puissant. Je n'ai même pas pu suivre du regard sa trajectoire ! Pour que je le retrouve, il m'a fallu inspecter minutieusement toute la pièce. Je l'ai enfin découvert sous le canapé, la pointe tordue, deux de ses roulettes détachées, et le vernis écaillé sur toute la surface de la planchette.

« Mon amie devait être furieuse en voyant dans quel état était réduit sa précieuse relique. Du coup, elle n'a plus voulu me revoir... »

**

Si besoin était, ces deux témoignages le confirment : les procédés du spiritisme peuvent aboutir à des résultats de nature diamétralement opposée, et parfois curieux.

PROCÉDÉ AVEC VERRE A PIED

LES CARACTÉRISTIQUES

L'OUTIL

N'importe quel verre à pied ? Sûrement pas. Les petits, prévus pour l'apéritif ou le digestif, sont à écarter. Le classique verre à vin ou à eau, la coupe de champagne, etc., en un mot les verres dont le pied a un diamètre de six ou sept centimètres environ répondent aux exigences de la divination.

La couleur n'entre pas en ligne de compte.

Oui							Non
X Y Z A B C D							E
W							F
V							G
U							H
T							I
S							J
R Q P O N M L							K

Procédé avec verre à pied

De même qu'avec l'*oui-ja,* il faut faire figurer les vingt-six lettres de l'alphabet (ainsi que les mots OUI et NON) sur une feuille de papier de la dimension de 70 × 70 centimètres environ, mais de la manière suivante (voir dessin ci-contre).

LE DÉROULEMENT

A moins de posséder une faculté médiumnique (para-psychologique) supérieure à la moyenne, une seule personne a du mal à se servir du procédé, d'où l'habitude de le pratiquer à plusieurs (deux à six ou sept opérateurs). Voilà pourquoi, tout comme avec les *tables tournantes,* on commence par désigner celui ou celle des participants qui conduira la séance.

Etant donné que perdure l'exigence de pouvoir jouir d'une ambiance facilitant la détente (le recueillement), on prend soin de faire régner dans la pièce un éclairage tamisé et le silence.

La feuille et le verre sont posés sur une table de dimension moyenne, autour de laquelle prennent place les participants. Dès que ceux-ci donnent les signes extérieurs de l'atteinte d'un état de relaxation profonde (ou, mieux encore, de recueillement), la personne choisie pour mener l'opération s'empare du verre à pied et, avant de le placer au milieu de la feuille, elle le retourne.

A ce stade, quel que soit leur nombre, tous les participants posent très légèrement le bout de leur index droit sur le pied du verre (préalablement retourné). Leur bras droit doit être tendu et ils ne doivent pas appuyer le coude sur la table. Il sera pareillement important de ne pas exercer une influence quelconque sur le verre, ne serait-ce que mentalement...

A de rares exceptions près, le verre ne tarde pas à « s'animer », tantôt immédiatement, tantôt après quelques minutes. Que ses premiers mouvements soient rotatifs ou non, la personne qui en est chargée s'enquiert de l'identité de l'esprit censé être là (ici encore, il peut s'agir de l'esprit d'une personne déterminée ou bien d'une démarche effectuée sans l'invocation mentale préalable de l'esprit d'un parent, d'un ami...), puis posera successivement les questions, sur la demande de l'un ou l'autre des participants ou bien d'après une liste préparée d'avance.

Les réponses sont obtenues exactement comme avec l'*oui-ja* : le verre à pied glisse sur la feuille et désigne soit les « Oui » ou « Non », soit diverses lettres, de sorte à former des mots, des phrases...

Evidemment, on ne pourra considérer les messages comme valables que si la certitude de l'absence directe (manuelle) ou indirecte (mentale) de l'intervention de l'une ou l'autre des personnes présentes existe.

La séance peut prendre fin en raison de la cessation inopinée des déplacements du verre ou bien lorsque les participants en estiment le moment venu (dans ce cas, normalement, il suffit de ne plus toucher le pied du verre, l'arrêt des mouvements se produit aussitôt).

HISTORIQUE

Tout comme les *tables tournantes* et l'*oui-ja*, le *verre parlant* est devenu populaire au cours de la deuxième moitié du siècle dernier. Mais, au lieu d'y voir une variante du procédé moderne impliquant l'usage de la planchette à roulettes, certains ont supposé que ses origines remontaient à l'Antiquité. Ainsi, dans son ouvrage *Supranormal ou surnaturel?**, le Révérend Père Réginald Omez considère la technique du verre à pied comme dérivée d'une méthode très répandue chez les Grecs et les Romains vers le début de notre ère.

Il est vrai qu'il existe une similitude avec les *tables divinatoires*, du fait de la disposition circulaire des lettres de l'alphabet. Mais, loin d'utiliser un verre, un calice ou n'importe quel autre récipient conçu pour contenir un liquide, les devins de jadis se servaient d'un anneau suspendu au bout d'un fil et « construisaient » les mots ou les phrases d'après les oscillations de ce pendule. En outre, il s'agissait d'une manipulation toujours individuelle du support, alors que le *verre parlant* exige une manipulation collective...

Quoi qu'il en soit, parmi tous les procédés attachés au spiritisme couramment pratiqués encore de nos jours, c'est bien celui qui préconise l'emploi d'un verre à pied qui est actuellement le plus teinté de mondanité, et jouit de la plus grande faveur des « amateurs » occasionnels.

* Les Sciences Métapsychiques, Paris, 1956.

AVANTAGES ET INCONVÉNIENTS

Les spirites qui agissent avec la seule intention de réunir des indications aptes à les conduire vers le plus haut perfectionnement moral et spirituel, ou de se rendre utiles auprès des hommes et femmes accablés par des problèmes graves, ne choisissent jamais pour outil le *verre parlant*. Non à cause d'un mépris à l'égard de l'utilisation « socialisée » et insouciante de cette pratique, mais parce qu'ils lui reprochent d'être inadéquate pour capter des messages fiables et exhaustifs, émanant presque obligatoirement de « sources d'information supérieures ». Autrement dit, à leur avis, un verre à pied attirerait, avant tout, des esprits non évolués...

INTÉRÊT CERTAIN

Il est pourtant prouvé que le procédé possède un intérêt certain et, de par sa spectacularité, attire l'attention (on ne peut s'empêcher d'être intrigué par le phénomène). Il arrive de surcroît que les réponses soient ni plus ni moins sensées, cohérentes, correctes, troublantes, etc., que celles communiquées à travers les *tables tournantes* ou l'*oui-ja*.

On comprend donc la raison pour laquelle **Jackie Landreaux-Valabrègue** parle avec respect du *verre parlant* dans son livre *La Médiumnité** :

* Ed. Robert Laffont.

108

Procédé avec verre à pied

« *Pourquoi un objet se déplace-t-il? demande-t-on souvent. En l'occurrence, ici, adoptons l'usage d'un verre. Il est bien évident que l'entité n'habite pas ce verre! L'entité est présente parmi nous. C'est tout. Mais, elle s'exprime par le truchement du matériel.*

« *La conjugaison de nos forces énergétiques s'effectue par l'égrégore formé autour de l'objet. Il est bien entendu, également, que nos doigts sont bel et bien posés sur le verre et que l'on pourrait supputer une supercherie.*

« *Impossible. Si l'un des participants poussait ce verre dans une direction quelconque, les autres constateraient une résistance. Or, il s'avère qu'il est impossible que trois ou quatre doigts soient animés par un ensemble de pulsions identiques, si ces pulsions viennent uniquement d'eux. On est alors obligé de conclure à la présence d'une autre force qui anime tous ces mouvements dans une seule et même direction. Celle qui est désignée par l'entité.*

« *Au premier abord, cette expérience paraît innocente et sans danger. C'est le cas, si elle est tentée dans le seul dessein de comprendre toutes ces énergies qui nous gouvernent et que l'on aspire à aider une entité à s'exprimer...* »

RÉSERVES

A son tour, l'adepte fervente du spiritisme qu'est la comédienne **Arlette Didier** attribue les déplacements du verre à l'intervention d'une *entité désincarnée*, mais elle exprime quelques réserves :

— Il ne faut pas généraliser. Mes propres expériences ne permettent certainement pas de tirer des conclusions inattaquables, mais j'ai constaté deux inconvénients avec le verre à pied. J'ai été initiée au procédé au début des années soixante par un très cher ami, Jean-Luc, qui était ingénieur chimiste ; au cours de mes bonnes vingtaine d'années de pratique assidue, je n'ai jamais réussi ni à obtenir des prédictions valables ni à établir le contact de ma propre initiative avec l'esprit d'une personne déterminée.

« Chaque fois que mes questions concernaient le futur, le verre restait immobile, désignait diverses lettres sans la moindre cohérence ou encore annonçait des choses qui n'allaient jamais se réaliser. En revanche, la plupart du temps, les réponses aux questions en rapport avec le passé ou le présent étaient justes. Un jour, par exemple, l'une des amies qui assistaient à la séance a voulu savoir pourquoi son ami, un cinéaste parti au Congo pour le tournage d'un documentaire, la laissait sans nouvelles depuis environ une semaine. Le verre a répondu « souffrant », avec un seul « f », ce qui est assez courant, parce que l'orthographe n'est pas toujours le fort de nos chers petits esprits... Passons. Le soir même, elle a téléphoné à Brazzaville et quelqu'un de la régie lui a appris que l'homme de sa vie était effectivement malade.

« J'aimerais ouvrir une parenthèse. On prétend que le procédé du verre fait accourir en priorité les esprits inférieurs. En effet, je n'ai jamais pu obtenir ainsi des messages dignes d'intérêt au sujet des mystères de l'au-delà. Mais la communication relative au cinéaste terrassé par la fièvre tropicale, comme bien d'autres notifications de ce genre, m'ont prouvé que même les esprits inférieurs — tellement méprisés, les pauvres ! — peuvent nous donner des informations correctes, s'ils le veulent bien.

« En somme, comme je le disais, le procédé du verre n'est pas l'idéal pour détecter ce qui nous attend dans un avenir plus ou moins proche ou lointain. Je le déconseille aussi pour les investigations métaphysiques ou assimilées.

« Voyons, à présent, l'autre désavantage, celui de l'impossibilité de choisir nos informateurs ou conseillers. Je n'en doute pas, il y a sûrement des gens qui y parviennent sans problèmes, mais moi, je n'ai pas eu le privilège de pouvoir « dialoguer » avec les esprits des personnes dont pourtant je souhaitais ardemment l'assistance. A leur place, s'en manifestaient d'autres, esprits d'hommes, de femmes ou d'enfants que j'avais vaguement connus ou que je n'avais jamais rencontrés.

« Remarque à faire, ces esprits ne venaient pas pour parler de la pluie ou du bon temps. Indépendamment des réponses — valables ou incongrues, peu importe — qu'ils donnaient aux questions, ils étaient parfois les porteurs de messages surprenants, c'est le moins qu'on puisse en dire. Ainsi, une quinzaine de jours après la crise cardiaque fatale de mon merveilleux camarade de travail et ami Jean Le Poulain, l'esprit d'une comédienne que j'avais entraperçu superficiellement s'est présenté pour me demander d'intervenir auprès d'une certaine personne : le désespoir de cette personne était nuisible à l'esprit de Jean ; en ne se résignant pas à sa mort, elle l'empêchait de s'éloigner de notre monde et de commencer son parcours évolutif. Bon, j'ai pris mon téléphone. Et moi, qui ignorais complètement l'existence d'un lien sentimental entre Jean et cette personne, j'ai appris que celle-ci était réellement incapable de se ressaisir, qu'elle allait pleurer sur sa tombe tous les jours, qu'elle n'arrêtait pas de penser à lui !...

« Surtout, qu'on ne me dise pas que l'énigme se cache chaque fois dans notre subconscient, dans notre psychisme dans nos fameuses facultés extrasensorielles. Je le répète, je n'avais pas la moindre idée du rapport intime entre Jean et la personne en question. Pour rien au monde je ne pouvais imaginer qu'ils s'étaient aimés et que cet amour entravait le détachement complet de l'esprit de Jean de son corps...

« En conclusion, même s'il nous laisse souvent sur notre faim, le procédé du verre nous envoie éventuellement des messagers chargés d'une mission importante. »

PROCÉDÉ DE L'ÉCRITURE AUTOMATIQUE

CARACTÉRISTIQUES

L'OUTIL

Un stylo, de préférence à bille, remplace de nos jours les crayons ou plumes utilisés par les pionniers du procédé, dernier-né de la famille de la *Psychographie**

LES PRÉPARATIFS

Avec un ruban adhésif ou autrement, il convient de fixer sur la surface (lisse !) de la table le papier qui servira à l'expérience.

La feuille doit être vierge, démunie de quadrillage ou de tout autre signe, et de format 21 × 29,7.

LE DÉROULEMENT

Comme toujours, le silence et la pénombre sont nos alliés. Surtout parce que plus que jamais, nous devons pouvoir, en l'espèce, conserver à tout moment l'état de détente exigé. Le moindre bruit ou n'importe quel facteur

---

* Terme savant pour désigner tous les procédés spirites à écriture.

susceptible de nous arracher du « vide total » risquent non seulement d'interrompre le processus, mais aussi de provoquer l'impossibilité de sa reprise...

Tenu à la main normalement, le stylo effleure à peine le coin gauche de la partie supérieure de la feuille. Le coude peut s'appuyer sur la table ou non, chacun fait comme bon lui semble.

Le plus important se situe au niveau de notre cerveau : après la phase initiale classique (invocation d'un esprit déterminé et formulation de la question) *il faut fermer les yeux et faire de sorte que le « noir absolu » puisse progressivement envahir l'écran où défilent habituellement nos pensées.*

Une fois ce résultat atteint, il est indispensable de préserver le plus longuement possible l'absence de toute pensée. Grâce à quoi, peut s'accomplir le prodige, l'étrange phénomène d'une écriture réalisée à travers notre main, mais sans l'intervention de notre volonté.

Oui, de même qu'avec l'oui-ja, nous sommes dans l'obligation *d'oublier* l'existence de notre main. Nous devons la laisser écrire *toute seule* ou, plus précisément, sous l'impulsion de la « conscience invisible » censée la guider.

On le prétend, la performance exige une certaine prédisposition. Mais, dans la pratique, les personnes dont la faculté médiumnique n'est pas supérieure à la moyenne, pour peu qu'elles parviennent vraiment à créer ce « vide total » obtiennent des succès notoires.

Quoi qu'il en soit, à un moment donné, tantôt instinctivement, tantôt parce que notre conscient ne supporte plus d'avoir été mis en veilleuse, nous nous rendons compte de la cessation des mouvements de notre main. Ou, subitement, nous nous apercevons que notre main n'écrit plus sur la feuille (déjà remplie), mais trace des signes en l'air. Dans le premier cas, l'expérience peut être considérée comme terminée. Dans le deuxième, il est possible de la poursuivre, après avoir mis en place une autre feuille de papier... et ainsi de suite, jusqu'à ce que cesse la transmission du message (certains affirment avoir pu écrire ainsi des livres entiers, ne serait-ce que par tranches).

TROIS ÉVENTUALITÉS

L'échec est total, évidemment, si la feuille est recouverte de gribouillis ou ne porte aucune trace d'écriture.

Il est possible de parler d'un échec partiel lorsque, parmi les zigzags et autres marques laissés par le stylo, des mots isolés ou suivis apparaissent, même si, à première vue, ils ne paraissent pas répondre à la question posée. (Parfois, à l'appui du langage des symboles, on arrive à dégager leur signification. Supposons, par exemple, qu'en réponse à la question « vais-je réussir mon examen ? », l'écriture automatique communique le mot « obscur ». On pourrait en déduire, entre autres, soit l'impossibilité d'*arracher le voile* qui recouvre le futur, soit que la personne concernée *tâtonne dans l'obscurité*, n'est pas suffisamment préparée pour pouvoir réussir son examen.)

La troisième des éventualités ? La découverte d'un texte parfaitement lisible et cohérent, composé de mots ou de phrases, qui tantôt répondent à la question posée exhaustivement, tantôt abordent d'autres sujets et drainent des communications ou révélations inattendues. (Mais, ici encore, il se peut qu'on soit en présence d'un message qui ne se laisse pas saisir d'emblée, mais demande une interprétation par le truchement des symboles qu'il dégage.)

LE PLUS TROUBLANT

Indépendamment de leur fréquente justesse — dans les domaines des passé, présent et futur —, les messages obtenus par le biais de l'écriture automatique peuvent revêtir une caractéristique particulièrement troublante. Il n'est pas rare, en effet, qu'ils contiennent des expressions typiques qu'utilisait régulièrement la personne dont l'esprit a été invoqué, ou que la comparaison avec une lettre quelconque que la personne avait écrite des jours, des mois ou des années avant sa mort, permette la découverte d'une analogie, sur le plan de la calligraphie !...

HISTORIQUE

Nous l'avons vu, tout commença avec la table dont l'un des pieds devint « enregistreur », grâce au crayon ou à la plume qui y étaient attachés. Puis, en fin de compte, la main parut plus appropriée, mais on pensait qu'il était indispensable de la poser sur une petite corbeille ou planchette : il n'y avait donc pas de contact direct entre les doigts et le crayon ou la plume.

Les chroniqueurs ne mentionnent pas le nom du spirite auquel revient le mérite d'avoir révolutionné la méthode. Nous savons seulement que, dès la deuxième moitié du siècle dernier, les adeptes les plus avancés du spiritisme en France suivirent l'exemple de leur maître, Allan Kardec, qui écrivait :

> — *De tous les moyens de communication, l'écriture à main, désignée par quelques-uns sous le nom d'écriture involontaire, est, sans contredit, le plus simple, le plus facile et le plus commode, parce qu'il n'exige aucune préparation, et qu'il se prête, comme l'écriture courante, aux développements les plus étendus*.*

Il s'en servit, d'ailleurs, pour mener à terme la rédaction de ses ouvrages, qui offrent la description la plus consciencieuse et la plus exhaustive des théories et des

---

* Cit. « Le Livre des Médiums » (Ed. Dervy-Livres).

116

pratiques spirites. Et, de nos jours encore, ses disciples donnent la priorité absolue à ce qu'il nomma phychographie directe ou manuelle, un procédé qu'on allait communément appeler, par la suite, écriture automatique... peut-être à tort, puisque le terme engendre la confusion avec la démarche créative homonyme des Surréalistes, démarche n'impliquant nullement des « entités désincarnées ».

Il faut le préciser, à l'origine (c'est-à-dire au cours de la deuxième moitié du siècle dernier) ce procédé était utilisé uniquement dans le cadre d'expériences individuelles. De nos jours, certains y font appel même en présence d'un « consultant » ou d'une « consultante » et, le cas échéant, pour faciliter les choses, se concentrent au préalable sur la photo de la personne dont l'esprit va être appelé.

EXPÉRIENCE PERSONNELLE

Un soir de l'été 1950, quelques mois après mon arrivée à Paris, l'inquiétude me tourmentait. Et pour cause. Ma mère — hongroise — et mon père — italien — étaient restés à Budapest, ma ville natale, où le stalinisme faisait rage, et je n'avais pas la moindre nouvelle d'eux depuis des semaines. Victimes, à leur tour, de la « guerre des classes » ? Déportés, comme tant d'autres, pour n'avoir été ni prolétaires ni paysans ?

Dans l'impossibilité de les contacter par téléphone, j'eûs l'idée de m'adresser à l'esprit de Gyuri, l'un de mes cousins, tué en décembre 1944, à l'âge de dix-neuf ans, par des miliciens hongrois émules des SS.

C'était ma toute première expérience du genre, mais je n'eûs aucun mal à me plonger dans cette sorte de « transe » qui allait me permettre de faire abstraction totale de la main droite. Je demeurais cependant conscient du fait que celle-ci écrivait ou, du moins, traçait quelque chose avec le stylo sur la feuille de papier, que je ne voyais pas, puisque mes yeux étaient fermés.

Puis, lentement, la sensation d'avoir bras et main « habités » par une énergie étrangère à mon propre organisme se dissipait. J'ai ouvert les yeux. Au prime abord, il m'a semblé impossible de pouvoir découvrir quoi que ce soit de lisible. La feuille paraissait entièrement recouverte de tracés divers n'ayant rien en commun avec l'écriture.

118

Procédé avec écriture automatique

Heureusement, je n'en suis pas resté là. Patiemment, je me suis mis à examiner de près chaque parcelle du « texte ». Et, vers le milieu de la feuille, pratiquement noyés parmi les multiples traits démunis de signification, j'identifiais deux mots authentiques. Ils étaient en langue hongroise. Je pouvais donc lire SEMMI BAJUK (traduction littérale : *Ils n'ont aucun mal*).

J'étais rassuré. Ma conviction d'avoir reçu un message digne de foi s'expliquait, dès cet instant, par le fait que si la réponse avait été le fruit de l'intervention de mon conscient (ou même inconscient ?), elle eût été formulée différemment, en conformité avec la tournure de mes expressions habituelles (par exemple, *Ils vont bien* ou *Pas de problème*, etc.).

Le lendemain, à tête reposée — non par doute mais par simple curiosité — je retirai de l'armoire de ma chambre d'hôtel la boîte où étaient rangées les lettres de mon cousin. Il s'avéra que les deux mots apparus sur la feuille grâce à l'écriture automatique avaient exactement les mêmes caractéristiques calligraphiques que celles écrites de sa propre main, six années auparavant !...

Six jours plus tard, je recevais de Budapest la lettre (dûment censurée par les soins des autorités communistes compétentes), qui confirmait la justesse de la réponse obtenue : mes parents n'avaient été ni déportés ni importunés de quelque manière que ce soit, mais s'apprêtaient à me rejoindre en France ; ils n'avaient pas écrit plus tôt parce qu'ils attendaient l'obtention des visas de sortie avant de me l'annoncer...

En juillet 1991, l'ami peintre, musicien et écrivain (mais aussi antiquaire) **Dantan** me demande s'il est possible de sortir de l'impasse l'une de ses amies, désespérée et « complètement déboussolée » depuis le récent trépas de sa mère. Je lui réponds :

— Dans l'immédiat, je suis entièrement absorbé par la préparation d'un livre sur le spiritisme, donc pas question de la voir, mais qu'elle me téléphone et je lui dirai ce qu'il faut faire.

Quelques jours passent, puis la dame m'appelle. Après lui avoir expliqué comment s'y prendre, j'ajoute :

— ... Vous le verrez, madame, l'écriture automatique vous apportera la certitude que votre maman, par son esprit, continue à vivre, que vous n'avez aucune raison d'être si affligée. Vous devez accepter avec philosophie la fin de sa présence matérialisée, et ceci dans son propre intérêt, afin que son « moi immatériel » puisse se détacher du carcan de notre sphère. Tant que vous n'arriverez pas à adopter une attitude constructive, son âme en souffre, et sera incapable de commencer le voyage qui doit la conduire vers la « Grande Lumière »...

Moins d'une semaine plus tard, un autre coup de fil :

— Monsieur Sciuto, j'ai suivi vos instructions à la lettre, à plusieurs reprises. En vain. J'ai eu beau rester stylo à la main des heures et des heures, rien ne s'est produit !

Pourquoi ? L'intention était pourtant bonne (il ne s'agissait pas d'une démarche ayant pour objet quelque futilité), la personne concernée n'était ni sceptique ni de la catégorie des gens considéré comme « indignes d'établir le contact » et, de surcroît, la leçon avait été apparemment bien saisie (pensées d'abord concentrées sur le souvenir de la mère, puis chassées, pour établir le « vide » permettant de ne pas influencer mentalement les mouvements éventuels de la main).

Pourrions-nous attribuer l'échec à une *insuffisance médiumnique* ? Peut-être. En tout cas, voici une nouvelle preuve de l'une des caractéristiques fondamentales de tous les procédés du spiritisme : *MEME SI TOUTES LES CONDITIONS REQUISES SONT REUNIES, LE RESULTAT ESPERE N'EST PAS NOTRE LOT OBLIGATOIREMENT !...*

PROCÉDÉS « IMPROVISÉS »

CARACTÉRISTIQUES

Ici, pas d'outils ni de préparatifs et absence, aussi, d'un déroulement plus ou moins invariable. La prise de contact ou, plus précisément, la réaction de l'individu à la manifestation d'une « présence pas de ce monde » doit être adaptée aux circonstances, autrement dit elle prend la forme d'une improvisation...

OCCASIONS MULTIPLES

A partir de l'instant où nous acceptons l'idée d'entités désincarnées dotées d'intelligence, et dirigeant les mouvements des tables, verres, planchettes, crayons, etc., utilisés dans le cadre des divers procédés classiques du spiritisme, nous sommes obligatoirement conduits à supposer que ces entités puissent également disposer d'autres moyens pour nous signifier ceci ou cela.

Indépendamment de l'éventualité déjà mentionnée que des « marionnettistes invisibles » régissent la majeure partie de nos arts divinatoires (par exemple, lorsque nous manipulons un pendule mantique, tirons les cartes, lançons en l'air les baguettes Yi-King, etc.), toute une série de phénomènes insolites, tantôt audibles, tantôt également visibles, nous fournirait ainsi des occasions multiples d'interroger les esprits au sujet de nos préoccupations, ou de solliciter une preuve quelconque de leur bienveillance.

Inutile de revenir sur les *bruits variés* du genre de ceux qui, en 1848, avaient précédé l'initiative de créer un « langage codé », d'après le nombre des coups frappés. Passons directement à quelques autres phénomènes observables.

FANTÔMES

Contes, légendes, poèmes, romans, nouvelles, œuvres théâtrales (y compris les livrets d'opéra) et, depuis déjà presque un siècle, également de nombreux films, évoquent les apparitions étranges couramment nommées *fantômes*.

Dès la plus haute Antiquité, des chroniqueurs ou historiens peu suspects d'être farfelus faisaient allusion à des « silhouettes » plus ou moins floues, aperçues par certains de leurs contemporains. Des récits semblables, produits par des ethnologues, psychiatres, parapsychologues, continuent de nos jours d'intriguer.

Simples hallucinations ? Pas nécessairement, si nous faisons entrer en ligne de compte les surprenants clichés photographiques qui montrent ces formes lumineuses pouvant être confondues avec l'image d'un humain rendu « partiellement invisible ». Ces clichés sont obtenus tantôt à l'aide du fameux *effet Kirlian*, tantôt par le biais d'autres techniques photographiques nouvelles ; des photos pareillement impressionnantes ont été prises au siècle dernier (dès 1861) ou au début du xxᵉ, et même si ces prises de vue anciennes sont parfois considérées comme truquées... elles ne peuvent l'être toutes.

Admettons qu'avec ou sans « l'apport fluidique » d'un vivant (au potentiel médiumnique élevé), un esprit puisse réellement se présenter à nous, sous un aspect rappelant plus ou moins vaguement son apparence charnelle de jadis. Selon Allan Kardec, il s'agirait là, d'un phénomène assez courant, surtout lorsque nous nous trouvons dans les bras de Morphée. Quoi qu'il en soit, l'important serait de ne pas s'en effrayer, mais de prendre une attitude de déférence. A cette condition, il serait facile de concrétiser un « entretien improvisé », le plus souvent par *transmission de pensée*. Parfois, il y aurait même possibilité d'*entendre* les réponses à nos questions ou, du moins, d'en avoir l'impression. Une sorte de dialogue pourrait s'établir également chaque fois qu'un esprit (fantôme) s'abstiendrait de l'usage de la parole : des signes gestuels remplaceraient, alors, ses réponses orales.

Tout ceci paraît absurde. Et, pourtant, d'innombrables observations faites par des scientifiques (le docteur Monck, Sir William Crookes, le professeur Charles Richet, le docteur Gustave Geley, etc., pour n'en rester qu'à ceux cités par Sir Conan Doyle) mettaient en évidence, au cours des premières décennies qui suivirent l'avènement du spiritisme, la réalité de l'*ectoplasme*. Les recherches actuelles, poursuivies dans les laboratoires de parapsychologie d'Allemagne, d'Angleterre, des Etats-Unis, ou d'Union soviétique le confirment : une matière au prime abord « nébuleuse », puis de plus en plus solidifiée peut émaner du corps d'un médium. Or, cette matière finit par dessiner une forme comparable ou même analogue à celle d'un être humain (tantôt inconnu, tantôt ayant une ressemblance plus ou moins accentuée avec une personne décédée déterminée) et constituer, de fait, une matérialisation dont les caractéristiques correspondent à celles des descriptions qu'on donne des fantômes depuis des millénaires et des millénaires. De là à déduire que de telles « silhouettes à apparence vaguement humaine » soient capables de communiquer avec nous, il n'y a qu'un pas...

ACTIONS ALARMANTES OU NON

Venons-en aux phénomènes dits secondaires pouvant être constatés dans les maisons considérées comme hantées. Allan Kardec énuméra les plus fréquents :

123

« *... des meubles et objets divers sont bouleversés, des projectiles de toutes sortes sont lancés du dehors, des portes et des fenêtres sont ouvertes et fermées par des mains invisibles, des carreaux sont brisés... Le bouleversement est souvent très effectif, mais quelquefois il n'a que les apparences de la réalité. On entend du vacarme dans la pièce voisine, un bruit de vaisselle qui tombe et se brise avec fracas, des bûches qui roulent sur le plancher; on se hâte d'accourir et l'on trouve tout tranquille et en ordre; puis, à peine sorti, le tumulte recommence... Les faits de cette nature ont souvent le caractère d'une véritable persécution. Nous connaissons six sœurs, qui habitaient ensemble, et qui, pendant plusieurs années, trouvaient le matin leurs robes dispersées, cachées jusque sur les toits, déchirées et coupées en morceaux, quelques précautions qu'elles prissent de les enfermer à clef. Il est souvent arrivé que des personnes couchées et* parfaitement éveillées *voyaient secouer leurs rideaux, arracher violemment leurs couvertures et leurs oreillers, étaient soulevées sur leurs matelas, et quelquefois même jetées hors du lit. Ces faits sont plus fréquents qu'on ne croit; mais, la plupart du temps, ceux qui en sont victimes n'osent pas en parler par crainte du ridicule...* * »

Comment réagir en des cas semblables ? Il semblerait que les pratiques d'exorcisme s'avèrent inefficaces, mais que ces « actes d'hostilité » puissent prendre fin grâce aux propos et aux agissements conciliants des personnes visées.

Par ailleurs, il arrive aussi que, loin d'être alarmantes, les actions attribuables à des « présences invisibles » soient de nature à laisser penser que leurs auteurs veuillent, tout simplement, *faire le premier pas pour engager la conversation.* Un exemple banal est celui du tableau accroché au mur qu'on retrouve le matin légère-

* Cit. « *Le Livre des Médiums* » (Ed. Dervy-Livres).

ment penché de côté. Dans ce cas, le soir venu, il est possible de programmer le test suivant : on se place devant le tableau dûment redressé, pour exprimer le souhait d'une réponse à telle ou telle question, demandant qu'un « oui » soit signifié en faisant pencher le tableau à gauche et un « non » en le faisant pencher à droite. (Le procédé sera identiquement conduit si le déplacement mystérieux a été constaté avec un objet quelconque laissé sur une table, une chaise, etc., ou encore toutes les fois où, d'une manière inexplicable, un meuble, lourd ou non, ne se retrouve plus exactement à sa place.)

Et puis, si quelque petite anomalie domestique semble traduire le désir d'un esprit de communiquer (ou même sans cela), il existe toujours la ressource d'expérimenter le moyen connu sous le nom de...

PNEUMATOGRAPHIE OU ÉCRITURE DIRECTE

On part du principe que les esprits sont à même de nous transmettre un message (en réponse à une question précise ou non) sans médium ni support quelconque, tout en ne se présentant pas sous la forme peu engageante d'un fantôme.

Comme avec les autres procédés, il faut d'abord se recueillir, prier voire évoquer le souvenir de la personne dont nous pensons que l'esprit a signalé le désir de parler. Après quoi, il suffit de placer une feuille de papier près de notre lit ou ailleurs dans la chambre. (Certains préconisent de mettre à côté du papier un crayon ou un stylo, mais ce n'est pas indispensable.) C'est tout. Si l'expérience réussit, nous découvrons sur le papier un message écrit « on ne sait comment » pendant la nuit (parce que, de préférence, il faut exposer le papier le soir, avant de se coucher). C'est un résultat obtenu tout à fait rarement et, pourtant, Allan Kardec fit l'éloge du procédé en ces termes [*] :

[*] Cit. « *Le Livre des Médiums* » (Ed. Dervy-Livres).

« *Le phénomène de l'écriture directe est sans contredit l'un des plus extraordinaires du spiritisme ; mais, quelque anormal qu'il paraisse au premier abord, c'est aujourd'hui un fait avéré et incontestable... Puisque la possibilité d'écrire sans intermédiaire est un des attributs de l'Esprit, que les Esprits ont existé de tout temps, et de tout temps aussi ont produit les divers phénomènes que nous connaissons, ils ont dû également produire l'écriture directe dans l'antiquité aussi bien que de nos jours... Quoi qu'il en soit des résultats obtenus à diverses époques, ce n'est que depuis la vulgarisation des manifestations spirites qu'il est sérieusement question de l'écriture directe. Le premier qui paraît l'avoir fait connaître à Paris, dans ces dernières années, c'est M. le baron de Guldenstubbe, qui a publié sur ce sujet un ouvrage très intéressant, contenant un grand nombre de* fac-similés *des écritures qu'il a obtenues...* »

Mais, avec objectivité, il ajoute :

« *... Si nous envisageons l'écriture directe au point de vue des avantages qu'elle peut offrir, nous dirons que, jusqu'à présent, sa principale utilité a été la constatation matérielle d'un fait grave : l'intervention d'une puissance occulte qui trouve par là un nouveau moyen de se manifester. Mais les communications que l'on obtient ainsi sont rarement de quelque étendue ; elles sont généralement spontanées et bornées à des mots, des sentences, souvent des signes inintelligibles ; on en a obtenu dans toutes les langues, en grec, en latin, en syriaque, en caractères hiéroglyphiques, etc., mais elles ne se sont point encore prêtées à ces entretiens suivis et rapides que permet la psychographie ou écriture par médiums.* »

Il est intéressant de noter que dans l'un de ses livres, *La Clé des Tombes*, le naturopathe et relaxologue **Clément**

Procédés « improvisés »

Devincre signale le procédé de l'écriture directe, et attribue son efficacité à la puissance exceptionnelle de la « substance astrale » dégagée par la personne qui dort près de la feuille de papier mise à disposition de l'esprit...

POUR OU CONTRE

Le hasard ou le destin ont voulu que je puisse recueillir quelques témoignages particulièrement intéressants au sujet des manifestations pouvant donner lieu à l'emploi de l'un ou l'autre des procédés « improvisés ». Pour commencer, voici celui du publiciste (retraité) **Jean-Jacques Lambert,** qui vécut une expérience extrêmement rare, puisqu'il s'agissait de l'apparition de...

FORMES GÉOMÉTRIQUES LUMINEUSES

— « C'est arrivé en avril 1940. J'avais vingt-six ans et j'étais sous les drapeaux avec le grade de sergent-chef. En attendant de rejoindre les forces déjà engagées sur le front, notre régiment stationnait dans la région d'Epernay. J'ai reçu l'instruction de trouver un logement, pour quatre de mes camarades sous-officiers et moi-même, dans un village proche d'Epernay, à Mareuil.

Une fois sur place, il m'a été conseillé de m'adresser à une dame qui, depuis la mort de son mari, logeait chez ses parents.

— ... Sa maison est vide, ça fait presque un an qu'elle n'y habite plus, elle sera sûrement ravie de vous la louer, me déclara le buraliste.

Mais, à ma grande surprise, cette femme d'une trentaine d'années ne se montra guère intéressée par ma proposition. Avant qu'elle se décide enfin à me remettre les clés, il a fallu que j'insiste longuement. Et, ce qui allait m'intriguer le plus, elle refusa d'accepter le paiement d'un loyer ne serait-ce que symbolique. Je craignais donc de trouver un bâtiment délabré ou même un véritable taudis...

Vue de l'extérieur, la maison dissipa mes appréhensions. Elle était propre, bien entretenue, ni plus ni moins hospitalière que les autres du voisinage. Il a suffi cependant d'y pénétrer... ce n'était plus pareil. Les murs, le sol, l'ameublement, tout était impeccable, mais quelque chose d'inexplicable faisait qu'on était saisi par l'angoisse.

Le soir venu, puisqu'il n'y avait pas d'électricité, nous avons allumé lampes à pétrole et bougies. Un tel éclairage, inapproprié à rassurer, contribuait à accroître notre inquiétude.

Je dois préciser cependant qu'en dépit des sensations désagréables éprouvées, l'idée d'une motivation surnaturelle ou paranormale ne nous effleurait pas. Nous en avons parlé et il s'est avéré que nous étions unanimes : l'origine de notre malaise se situait, tout simplement, dans le fait que la maison n'avait pas été aérée pendant longtemps.

La première nuit, tout a été calme, mais, au cours de la deuxième, un cauchemar m'a réveillé : j'ai ouvert les yeux, et aperçu au plafond un rectangle lumineux, qui paraissait émerger d'une sorte de petit nuage blanchâtre et assez condensé !

C'est compréhensible, j'étais effrayé. Je me suis raisonné et me suis dit que, peut-être, je continuais à rêver ou que j'étais victime d'une hallucination. Finalement je me suis résolu à me lever et à secouer les trois camarades qui partageaient ma chambre. Afin de couper court à l'éventualité d'une autosuggestion collective, je ne leur ai rien dit, mais me suis contenté de pointer mon doigt vers le plafond. Sans exception, tous les trois devaient s'exprimer en des termes qui allaient me faire comprendre que je n'avais ni rêvé ni été induit en erreur par une illusion optique! D'un commun accord, nous avons alors ramassé nos sacs de couchage, pour rejoindre les deux sous-officiers qui dormaient dans l'une des pièces voisines.

Le lendemain soir, malgré tout, je me suis encore installé dans la chambre « hantée ». L'un des camarades de la veille a bien voulu me tenir compagnie.

Exténué par les exercices de la journée, je me suis endormi rapidement et ne me suis réveillé que vers six heures du matin. Le caporal Fernand était déjà debout et m'apprit :

— Tu sais, aux alentours de minuit, il y avait encore la lumière. Cette fois-ci, elle avait la forme d'un triangle et glissait lentement le long du mur, pour un bon bout de temps. Après, c'était fini.

Je lui reprochai de ne pas m'avoir alerté.

La nuit suivante, le caporal Fernand — qui avait le sommeil plus léger que moi — eût le privilège d'être le premier à découvrir la répétition du phénomène. Il m'en avisa aussitôt. Cette apparition lumineuse de forme ronde cette fois, semblait surgir d'une masse nébuleuse et l'ensemble constituait une image de la grandeur de quatre-vingt sur quatre-vingt centimètres environ. A l'intérieur du cercle on distinguait une figure comparable à la lettre « S ». Comme l'autre fois ni mon camarade ni moi n'eûmes le courage de prendre une initiative quelconque. Gardant le silence, nous fixions le cercle sans bouger, jusqu'à ce qu'il disparaisse, après une dizaine de minutes. Je décidai alors de prendre le taureau par les cornes.

Pour réaliser mon projet, j'ai dû en fait attendre plusieurs nuits. Quatre ou cinq, je ne sais plus trop. En revanche, je me souviens parfaitement de tous les détails de « l'échange de propos » qui a eu lieu lorsque le phénomène s'est concrétisé à nouveau.

Ce soir-là, nous étions encore éveillés, le caporal Fernand et moi. J'ai regardé ma montre et, je ne l'oublierai jamais, il était exactement vingt-deux heures et quarante-deux minutes à l'instant où un demi-cercle est

130

apparu au plafond, en même temps que l'habituel *ecto-plasme* qui formait son prolongement.

Triomphant de mes dernières hésitations, je commençais en tremblant :

— Qui ou quoi que tu sois, j'aimerais te poser quelques questions... Si tu es en mesure de me répondre, éteins-toi une fois pour me dire « oui » et deux fois pour me dire « non »... Bon, je vais commencer. Es-tu un esprit ?

Pendant une fraction de seconde, le demi-cercle et son inséparable complément nébuleux devinrent invisibles.

Je poursuivai :

— Te manifestes-tu ailleurs qu'ici ?

La réponse fut un « non » catégorique.

— T'es-tu déjà manifesté à d'autres qu'à nous ?

A nouveau, les deux interruptions suivies de la diffusion de lumière m'indiquèrent une réponse négative. J'ai pensé que c'était un mensonge, parce que la réticence de la veuve à mettre à notre disposition la maison devait sans doute s'expliquer par des manifestations semblables antérieures. Et, cependant, je cachai ma déception, pour passer immédiatement à la question :

— Pouvons-nous t'aider ?

« oui ».

— Par des prières ?

« oui ».

— Par des messes ?

Ici encore, c'était affirmatif.

— Pour ce faire, as-tu la possibilité de nous apprendre quel est ton nom ?

J'imaginais que les radiations pouvaient épouser des formes diversifiées, parvenant ainsi à se transformer en lettres lumineuses, comme celles des enseignes au néon, mais un « non » me fit comprendre que ceci était impossible. En bon catholique, j'étais résolu pourtant à secourir une âme en peine :

— Ça ne fait rien, je demanderai au curé de dire la messe pour un anonyme et, pendant l'office, je penserai intensément à cette maison, et aux formes géométriques que tu as dessinées. Précise-moi seulement combien de messes tu voudrais. Eteins-toi une ou plusieurs fois, selon le nombre de messes désirées.

Le noir se fit à quatre reprises consécutives.

— Très bien, tu peux compter sur moi, je ferai dire quatre messes... Et, maintenant, fais-moi savoir si tu connais l'avenir.

A ma plus vive surprise, il y eut une seule interruption de lumière. J'ai donc posé la question qui, sur le moment, me tenait le plus à cœur :

— La guerre va-t-elle être longue ?

Je m'attendais à un « non », en conformité avec la conviction que nous avions, tous, à cette époque-là, au printemps de l'année mille neuf cent quarante.

A mon grand étonnement, la chambre demeura plongée dans l'obscurité un instant seulement.

Légèrement ébranlé, je me consolai en me disant que, peut-être, l'information était fausse. Je demandai :

— Combien de mois va-t-elle encore durer ?

Les minutes passaient, sans que la phosphorescence perde ne serait-ce qu'un millième de son intensité. Excédé, j'ai hasardé :

— Voudrais-tu me faire croire que la guerre va durer des années ?!... Si oui, éteins-toi autant de fois qu'il y aura d'années avant la paix.

En évoquant ce souvenir, j'en frissonne encore aujourd'hui.

La lumière insolite s'est éteinte, puis rallumée ni plus ni moins que cinq fois, autrement dit elle a annoncé que les hostilités ne prendraient fin que vers le printemps de l'année mille neuf cent quarante-cinq !...

Je dois l'avouer, cette nuit-là, la prédiction m'a parue complètement dénuée de fondement ; j'y voyais une plaisanterie de très mauvais goût. J'ai murmuré :

— Ça suffit, je n'ai plus rien à te demander... Eteins-toi une bonne fois pour toutes... Va-t'en !

L'apparition est demeurée quelques secondes puis elle disparut. A jamais, en ce qui nous concernait. Peut-être parce que, fidèle à ma promesse, j'allais faire célébrer quatre messes, la première dès le lendemain... »

*
**

Et, maintenant, que la parole soit donnée à **Gian-Carlo Menotti.**

Parmi ses nombreux opéras mondialement applaudis (comme, par exemple, *Le Consul*), son œuvre lyrique intitulée *Au secours, au secours, les Globolinks arrivent!* créée en 1969 à l'Opéra de Hambourg, puis inscrite au programme du 1ᵉʳ Festival International de Chœurs d'Enfants, à Nantes me permit de le rencontrer. C'est justement là, à Nantes, qu'il m'a confié comment il lui avait été possible d'amadouer un...

FANTÔME DE L'ÉCOSSE

« ... Depuis quelques années, j'habite un vieux manoir peu distant d'Edimbourg et j'ai de bonnes raisons de croire qu'il y a beaucoup de vrai dans tout ce qu'on raconte, depuis des siècles et des siècles, à propos des fantômes de l'Ecosse.

Lors de ma première visite à la maison que j'avais l'intention d'acquérir, l'agent immobilier qui m'accompagnait eut l'honnêteté de m'apprendre qu'elle avait la réputation d'être hantée, depuis que les descendants de l'hobereau qui l'avait fait construire au xvIIᵉ siècle ne l'occupaient plus.

En dépit de la sensation étrange, indéfinissable, qu'avait provoquée en moi l'une des ailes du bâtiment visité, j'ai signé le contrat...

Ma famille et moi avons emménagé quelques mois plus tard. Dès le premier jour, la partie « électrifiée » de l'immeuble nous réservait nombre de surprises désagréables. Tantôt nous y trouvions les meubles déplacés, tantôt nous y découvrions les débris d'un objet en verre ou en porcelaine mystérieusement tombé de la table ou de la commode où nous l'avions placé. En outre, par moments,

133

tout paraissait ici légèrement secoué, comme sous l'effet d'un tremblement de terre à peine esquissé. Chose plus grave encore aucun de nous ne s'y plaisait, à cause d'un inexplicable climat suffoquant, difficile à supporter. On avait beau aérer longuement, ça sentait le renfermé, le moisi, alors que tout était normal dans les autres ailes du manoir.

Le coup de grâce, si j'ose dire, est arrivé la nuit où, sans aucune raison apparente, notre lustre vénitien (pourtant solidement fixé par des ouvriers spécialisés) s'est subitement détaché du plafond, pour se fracasser en mille morceaux sur le sol, en notre présence. Heureusement, personne n'a été blessé. Dans le silence qui a suivi — l'effroi nous avait rendus muets et aucun bruit ne pénétrait de l'extérieur —, nous avons entendu une sorte de « vague de soupirs estompés ». De quelle provenance ? Pas de la cheminée, en tout cas. De toute manière le vent ne pouvait pas être incriminé : nous avons regardé dehors, les feuilles des arbres étaient figées dans la plus grande immobilité.

Les effets de la surprise passés, l'un de mes fils a pris la parole :

— L'autre jour, j'ai cru apercevoir un petit chien blanc dans cette pièce. J'en ai parlé dans le village et on m'a dit, sans se montrer étonné, que c'était sûrement le spectre du toutou des gens qui habitaient ici avant nous. Il serait devenu le compagnon fidèle du fantôme qui nous fait des siennes...

Nous nous sommes déridés, mais j'ai pris la décision de ne pas en rester là. Dès le lendemain, j'ai téléphoné à Londres, pour tout raconter à une amie, qui se passionne pour les phénomènes insolites et pratique la magie blanche. Et, écoutant son conseil, la nuit suivante, je suis resté plusieurs heures sur les lieux hantés de notre maison, cherchant à communiquer avec l'esprit responsable de nos petits malheurs. J'ai essayé de le rassurer :

— Que notre présence t'agace, c'est compréhensible. Mais ne nous considère pas comme les profanateurs de ta demeure, que nous aimons énormément. Je m'y engage solennellement, non seulement nous veillerons à ne la dégrader d'aucune manière, mais encore vais-je consacrer toutes mes économies à des travaux de restauration, pour qu'elle puisse redevenir aussi belle que jadis, du temps où tu y vivais en chair et en os...

Il n'en fallait pas plus pour que les choses entrent dans l'ordre. Finis les meubles qui se promènent et « l'autodestruction » des objets fragiles. En franchissant le seuil, nous n'avons plus dorénavant l'impression de nous retrouver dans quelque crypte oppressante, mais pouvons savourer un air frais, agréable... »

Revenons en France. Astrologue, radiesthésiste et médium, **Dorothée Koechlin de Bizemont** est l'auteur de nombreux livres *. Pour la plupart, ses ouvrages ont pour but la familiarisation des lecteurs des pays francophones avec la vie et l'œuvre du célèbre spirite américain Edgar Cayce. Elle donne de nombreuses conférences sur des sujets qui relèvent de l'ésotérisme et des médecines douces. A l'issue de l'une d'entre elles, j'ai pu lui parler longuement et prendre connaissance de ses expériences dans deux des...

CHÂTEAUX HANTÉS DE LA DORDOGNE

« — Voici quelques années, avec des radiesthésistes suisses, j'ai effectué un court séjour au château de Fenelon. Une belle chambre a été mise à ma disposition et à peine ai-je commencé à défaire ma valise qu'il m'a semblé entendre des gens parler dans le couloir. J'ai pensé que c'étaient des domestiques. Voulant profiter de l'occasion pour demander une bouteille d'eau minérale, j'ai ouvert la porte. Le silence s'est fait aussitôt. J'ai bien

* Parus chez Robert Laffont ou aux Editions du Rocher.

regardé. Personne. Bon, j'ai refermé la porte. Comme si ça avait été un signal, les voix recommencèrent. Encore une fois, j'ai jeté un coup d'œil. C'était pareil : couloir désert et plus le moindre bruit.

Je suis allée tout raconter à notre hôte. Après m'avoir écoutée en affichant un sourire malicieux, il a déclaré :

— Je suis au courant. Ce sont nos chers petits fantômes qui s'amusent.

— Ne faudrait-il pas faire quelque chose, ai-je demandé.

— Surtout pas ! m'a-t-il répondu. Depuis belle lurette, tout le monde sait dans la région que ce château est hanté. Ça m'arrange. C'est bien plus efficace contre les cambrioleurs que le plus sophistiqué des systèmes d'alarme...

Avec son autorisation, nous avons quand même fait une petite enquête sur les lieux. La radiesthésie devait confirmer la présence de vibrations typiques dans certains recoins du bâtiment.

Dans un autre château de la Dordogne — le propriétaire m'a demandé de passer son nom sous silence — ma fille et moi sommes venues passer le week-end. En arrivant, nous avons aperçu, en traversant la cour, quelque chose ayant une vague apparence humaine. Nous avons en fait distingué une torche allumée, pas la main qui aurait dû la tenir, ni le corps.

Nous étions passablement intriguées, mais avons préféré ne pas en parler aux amis qui nous accueillaient à bras ouverts. Il devait être vingt-trois heures environ, nous nous sommes mises tout de suite à table et, après le souper, avons gagné nos chambres.

Vers l'aube, ma fille m'a tirée du lit :

— Viens, maman, m'a-t-elle dit, je n'ai pas réussi à fermer l'œil, il y a tout le temps des craquements bizarres dans les meubles.

Je l'ai suivie. Les bruits en question continuaient aussi en ma présence. Je me suis agenouillée pour prier. Puis, à tout hasard, j'ai improvisé une « supplique de circonstance » :

— Toi, âme tourmentée, qui trouble le repos des vivants, je te conjure, retourne dans la sphère d'où tu viens, laisse-nous en paix !...

J'ai terminé en récitant un verset du psaume de David, *Le Seigneur est mon berger.*

Les craquements diminuèrent. Enfin, tout s'est tu. Ma fille allait pouvoir dormir.

Au cours des deux nuits suivantes passées dans ce château, la « trêve sacrée » devait être respectée... »

Virtuose du piano mondialement célèbre, **Magda Tagliaferro** m'a accordé une interview moins d'un an avant son tout dernier récital. Elle m'a surtout parlé de ses...

ESPRITS PROTECTEURS

« ... La conviction profonde de la perennité de l'âme, je l'ai acquise très tôt. Mon éducation dans la religion catholique y est pour beaucoup. Mais il y avait aussi un autre motif, non moins déterminant. A maintes reprises, je ressentis à mes côtés une ou plusieurs présences mystérieuses. Ceci se produisait uniquement quand je me trouvais seule, tantôt à la maison, tantôt ailleurs.

S'agissait-il des esprits de gens qui m'avaient aimée et dont la mort m'avait bouleversée ? J'en étais persuadée. Et je finis par croire : ces esprits me protègent, et sont mes anges gardiens !

Une telle déduction venait du fait que la ou les présences en question se révélaient toujours aux moments où l'angoisse et le découragement étaient sur le point de s'emparer complètement de moi. Il y avait, en somme, à penser que mes esprits protecteurs surviennent dans le but précis de me rassurer, de me redonner confiance en moi-même.

Une fois, par exemple, après un long séjour professionnel en Espagne, j'étais en proie à une très grande tension nerveuse. Au point qu'il me paraissait impossible de pouvoir jouer convenablement au concert prévu au Théâtre des Champs-Elysées trois semaines plus tard. Un rien me faisait sursauter, j'étais à la fois extrêmement vulnérable et très agressive. Pour ne plus indisposer les personnes qui venaient me voir habituellement, je pris la décision de rester cloîtrée dans l'appartement que je louais à Madrid, sans recevoir qui que ce soit.

Ce fut en ces circonstances qu'un soir, assise derrière mon piano, j'eus subitement l'impression de « l'atterrisage » d'une entité invisible.

— Qui es-tu ?... Vas-tu me secourir ?... Si tu es là pour m'aider, fais que je puisse le savoir...

En guise de réponse, une étrange bouffée de chaleur se fit ressentir. Pourtant, il n'y avait autour de moi ni être humain ni animal de compagnie. Les portes et les fenêtres étaient par ailleurs fermées, il était impossible d'imaginer que les radiations thermiques viennent de l'extérieur.

A partir de cet instant-là, la source de chaleur allait constamment m'envelopper de ses émanations apaisantes plus ou moins intensivement, selon le jour ou la nuit. J'éprouvais surtout la sensation de son authenticité après le coucher du soleil.

Mes nervosité, appréhensions, mauvaise humeur, trac, etc. se dissipaient lentement, mais sûrement. En moins d'une semaine, je me sentais en pleine possession de mon équilibre psychique et physique. Et, de surcroît, j'étais sereine comme jamais auparavant.

Ma joie de vivre retrouvée, je voulais la partager avec tout le monde. Les amis, de même que les personnes qui s'occupaient de ma carrière, étaient ravis. Ils pensaient que la métamorphose était due au repos, dans l'isolement, que je m'étais imposé. Je ne les contredisais pas. Mais j'avouai à mon confesseur :

— Dieu a eu pitié de moi! Il m'a envoyé un esprit protecteur, qui ne me quitte plus!...

— Vous pêchez par orgueil, ma fille, me réprimanda-t-il — j'en devins si contrariée que je pris immédiatement la décision de ne jamais plus me confesser !

Puis, le concert que j'avais tellement appréhendé eut lieu. Le succès fut sans précédent. D'après la critique, mon jeu était devenu « encore plus céleste que par le passé ».

Au cours des années suivantes, je continuais à bénéficier de cette sérénité extraordinaire, dans mes interprétations comme dans mon comportement privé. Jusqu'au jour où un homme a éveillé en moi un désir... coupable. Je n'en dirai pas plus. J'ai finalement réussi à résister. Mais, l'esprit supérieur venu me prêter main forte m'abandonna aussitôt. Il avait suffi qu'à un moment donné j'envisage l'infidélité amoureuse : la chaleur extraordinaire n'allait plus jamais me seconder !... »

Terminons avec un témoignage qui ne fait pas l'éloge des « procédés improvisés ». Voici en effet le récit du chanteur **Leny Escudero,** dont l'expédition a été infructueuse dans une...

MAISON HANTÉE CAPRICIEUSE

Du temps de mon adolescence, je me suis retrouvé dans le département de la Sarthe, pour quelques mois. Les amis qui m'offraient l'hospitalité me parlaient souvent d'une maison hantée de la région. Apparemment, les objets s'y déplaçaient, les portes et les fenêtres s'y ouvraient d'elles-mêmes et j'en passe...

Je ne demandais pas mieux que de constater ces phénomènes. Alors, avec mon sac de couchage et mes provisions, je me suis installé dans cette maison abandonnée, décidé à y rester au moins vingt-quatre heures.

Eh bien, rien ne s'est passé d'insolite. Les objets restaient à leur place, les portes et les fenêtres fermés par mes soins ne s'ouvraient pas et il n'y avait pas, non plus, ni soupirs de fantômes ni des bruits quelconques autres que ceux faits par les pigeons et par les souris... à ma grande déception, d'ailleurs !

PROCÉDÉS DERNIERS-NÉS.

CARACTÉRISTIQUES

LES OUTILS

La gamme est vaste. De l'appareil à 300 F conçu pour l'enregistrement et l'écoute de minicassettes, en passant par les magnétophones les plus variés, jusqu'aux systèmes sophistiqués récemment mis au point dans le but précis de capter des voix autres que celles originaires de notre planète, n'importe quelle technique électroacoustique peut servir... du moins en principe !

LES PRÉPARATIFS

Il faut placer un magnétophone dans un endroit le plus possible à l'abri des bruits extérieurs ou autres. Une pièce insonorisée constituerait, évidemment, la solution idéale. A défaut, toutes les mesures permettant l'élimination de l'éventualité que soient enregistrés des sons originaires de l'environnement doivent être prises. (C'est pourquoi les spécialistes préconisent l'absence de meubles en bois, dont les craquements sont nuisibles à la qualité de l'enregistrement.)

LE DÉROULEMENT

Croire dans la possibilité d'une communication avec les esprits augmenterait les chances de réussite. Ainsi, Jackie Landreaux-Valabrègue recommande, dans son livre intitulé *La Médiumnité** de commencer exactement comme avec les procédés spirites classiques, c'est-à-dire par le recueillement, la prière, l'évocation du souvenir de la personne que nous aimerions convier.

Pour des raisons techniques, et en flagrante contradiction avec la consigne qui impose le silence le plus absolu, il serait utile voire indispensable (sur ce point, les avis ne sont pas unanimes) d'actionner un générateur de fréquences, ou de faire couler l'eau du robinet le plus proche... à moins de préférer que le « bruit de fond » provienne d'une émission radiophonique musicale diffusée en sourdine. Il paraît, en effet, que les esprits, pour pouvoir s'exprimer vocalement, s'appuient sur un apport vibratoire...

Un micro, posé à environ un ou deux mètres de l'appareil et, évidemment, relié à lui, est facultatif.

Quoi qu'il en soit, avec ou sans micro (ainsi que générateur de fréquences, coulement d'eau ou musique), l'expérience proprement dite commence à l'instant où est mis en marche l'appareil enregistreur et s'achève à la fin de la bande magnétique utilisée, à moins qu'on remplace celle-ci par une autre, pareillement vierge avant l'utilisation.

L'ÉTONNANT

En cas de succès, on parvient à distinguer une ou plusieurs voix, qui se détachent plus ou moins nettement des sons « d'ici bas » enregistrés pendant la séance

---

* Ed. Robert Laffont.

(coulée de l'eau, notes musicales, paroles des personnes présentes, etc.).

Souvent teintées d'une sorte de résonance quelque peu « métallique », ces voix sont, parfois, parfaitement reconnaissables : les expérimentateurs signalent qu'ils ont réussi à capter des messages oraux porteurs de toutes les caractéristiques vocales de tel ou tel de leurs parents, amis ou collègues décédés.

En règle générale, les phrases enregistrées sont très courtes. Elles excèdent rarement la dizaine de mots et, la plupart du temps, on note une certaine difficulté d'expression, comme si la prononciation impliquait une exceptionnelle conjugaison d'efforts. Mais, quoique rarement, il arrive aussi que tout soit dit avec la plus grande aisance. En outre, de nombreux enregistrements révèlent une tendance à s'exprimer en chantant (nous sommes en présence tantôt d'éléments prosaïques d'une conversation courante, tantôt de refrains d'une chanson).

Les archives déjà extrêmement riches permettent, par ailleurs, une constatation particulièrement intéressante : très fréquemment, la phrase se compose de mots dits en des langues différentes. (Par exemple : *Inutile worry für mich, yo soy molto felice.*) S'agirait-il de l'intention de faire allusion aux vies antérieures de personnes ayant eu pour langue maternelle tantôt le français, tantôt l'anglais ou l'allemand, l'espagnol, l'italien, etc. ? En ce qui me concerne, ceci me paraît fort possible...

L'INCONVÉNIENT

Apparemment, même les personnes qui utilisent le plus banal des lecteurs de cassettes ou des magnétophones obtiennent des résultats satisfaisants. A l'autre extrême, les possesseurs d'appareils spécifiques perfectionnés ne sont pas toujours en mesure de pouvoir s'enorgueillir de succès (même lorsque leurs expériences s'étalent sur plusieurs semaines ou mois).

En outre, le procédé est déconseillé à ceux qui manquent de patience ou à ceux qui ne disposent pas suffisamment de temps libre pour se consacrer à l'écoute fastidieuse de bandes durant des heures ou même des jours entiers.

MONOLOGUE OU DIALOGUE

Pour qu'il y ait un monologue, rien de plus simple : il suffit de déclencher le fonctionnement de l'appareil enregistreur, puis de prendre connaissance ultérieurement du ou des messages éventuellement reçus.

Quant à l'établissement d'un dialogue, les possibilités sont restreintes. Mentalement ou à haute voix, nous pouvons poser une question précise avant de mettre en marche la bande et, le cas échéant, y penser intensément également après, tout en vaquant à nos occupations pendant que la bande tourne. Mais, si nous voulons saisir l'occasion d'avoir un « entretien suivi », il est indispensable de rester près de l'appareil et de vérifier constamment ce qui vient d'être enregistré. Dès la détection d'un élément laissant supposer la concrétisation du contact (sans aller jusqu'à une phrase entière, il peut s'agir de l'enregistrement d'un seul mot, d'un soupir ou d'un rire, etc.), il ne faut pas tarder à répéter la question ou à en poser d'autres, à moins de vouloir tenir des propos purement et simplement affectifs, dictés par la joie que procurent les « retrouvailles »...

MOMENTS PROPICES

Selon les adeptes du procédé, la réception serait favorisée après le coucher et avant la levée du soleil, plus précisément entre vingt et vingt-deux heures, puis entre deux ou six ou sept heures.

La pratique démontrerait aussi que les enregistrements donnent de meilleurs résultats en période de pleine lune.

Procédés derniers-nés

Les conditions météorologiques exerceraient, elles aussi, une certaine influence : le mieux serait d'enregistrer à ciel ouvert, c'est-à-dire en extérieur.

LES VARIANTES

Quitte à se tenir prêt pour enregistrer immédiatement la ou les voix captées, la solution de se fier à un *récepteur radio* paraît la meilleure. A la lumière des travaux du plus éminent spécialiste en la matière, le suédois **Friedrich Jürgensen** (il sera question de son œuvre un peu plus loin) l'idéal en Europe serait de faire des essais au niveau des fréquences radio suivantes :
— 1 480 KiloHertz ;
— entre 1 500 et 1 600 KiloHertz ;
— entre 1 445 et 1 450 KiloHertz.
Un autre procédé, développé depuis 1980 par l'allemand **Klaus Schreiber,** s'oriente non pas vers la voix mais vers l'image, par le truchement de la technique vidéo. Dans son ouvrage *La Voix des Esprits* *, **Christine Bergé,** professeur de philosophie et chercheur en ethnologie à l'Université de Lyon II, décrit :

... La caméra vidéo est dirigée sur l'écran de télévision, celui-ci étant réglé sur canal libre : on ne voit que le brouillage de points qui s'agitent en tous sens. Le téléviseur fonctionne en noir et blanc. La distance entre la caméra et l'écran est environ de deux mètres. Un magnétoscope est relié à la caméra et au téléviseur. La pièce est éclairée. La manipulation de la bande vidéo ressemble à celle du magnétophone. Repassant la bande après avoir filmé l'écran (sur lequel on ne voit rien à part le brouillage), on peut à volonté ralentir ou accélérer, faire des arrêts sur image. Au passage de la bande vidéo, qu'apparaît-il ? Peu de choses, à première vue. Un brouillage fatigant pour l'œil, des sortes de

* Editions A. M. Métailié, Paris.

faisceaux de points. L'attente est la même que pour la pratique de la bande magnétique : on regarde, rien ne se passe. Et puis peut-être, il nous semble que là, oui, il semble y avoir « quelque chose »... Trois fois rien mais tout de même, c'est différent de tout à l'heure... Le point fort va être alors la reconnaissance de ce qu'on voit, c'est-à-dire l'identification précise de ce qui apparaît sur l'écran. De même que Jurgensen avait identifié parmi les voix enregistrées celle de sa mère, Schreiber capte des visages parmi lesquels il reconnaît tout de suite ses parents décédés...

Dans le même livre, Christine Bergé signale la création d'une équipe de chercheurs réunis autour de Klaus Schreiber, évoque en détail l'une des expériences concluantes à laquelle il lui a été possible d'assister personnellement * et ajoute :

... Inutile de dire que les expériences continuent, et que les « contactés » se font chaque jour plus nombreux.

Enfin, dans l'un des derniers chapitres de son ouvrage (de premier intérêt !), elle attire notre attention sur le fait que, désormais certains chercheurs obtiennent des résultats surprenants également en utilisant un ordinateur (sur l'écran apparaissent des textes « de provenance inexplicable ») ou, tout simplement un téléphone (sont reçus des « messages de l'au-delà »).

* Au Congrès International de Transcommunication, à Bâle, en novembre 1989.

HISTORIQUE

Il est notoirement connu que la première tentative pour détecter l'existence de civilisation galactique a été faite en 1960, par l'expérience Ozma. Effectuée avec des radiotélescopes de puissance exceptionnelle, l'écoute n'a cependant pas été fructueuse, ce qui était d'ailleurs plus ou moins prévisible. Loin de se laisser décourager, disposant de fonds considérables, les radioastronomes américains ont alors conçu le projet de poursuivre leur quête à l'aide de mille radiotélescopes de cent mètres de diamètre chaque...

Jusqu'à présent, même le plus perfectionné des instruments n'a pu permettre la réception de messages éventuels provenant de quelque lointaine étoile habitée par des êtres dotés d'intelligence, mais un simple magnétophone de fabrication courante a accompli...

LE PRODIGE DU 12 JUIN 1957

Ce jour-là, le polyglotte artiste peintre et producteur de films d'art **Friedrich Jürgensen,** qui se passionne pour l'ornithologie, a l'intention d'enregistrer le chant d'un oiseau venu lui rendre visite dans son jardin. Le magnétophone dûment branché, il regagne l'intérieur de la maison. Au bout d'une heure environ, il écoute l'enregistement. Et, chose incompréhensible, voici que se laissent entendre des sons divers, pas du tout attribuables à des sources acoustiques environnantes. Entre autres fragments sonores inexpliquables, la bande magnétique témoigne de la fixation d'une voix humaine qui, même faible, paraît venir de très très loin, et prononce en norvégien une phrase parfaitement cohérente et intelligible !...

Vraisemblablement parce qu'il possède des dons médiumniques accentués, Friedrich Jürgensen devine qu'il y a « anguille sous roche » et entreprend une première série d'expériences, avec plusieurs magnétophones.

La raison d'être de l'initiative ne tarde pas à se manifester : l'écoute à puissance maximale des bandes révèle l'enregistrement de voix humaines, que des oreilles auraient été incapables d'entendre, des voix qui prétendent être celles des esprits d'hommes ou de femmes jadis côtoyés ou non par Jürgensen. En outre, en posant des questions pour vérifier l'exactitude des assertions, notre « défricheur » obtient des réponses (détails relatifs à certains événements d'un passé plus ou moins lointain), qui finissent par lui donner la conviction d'avoir vraiment réussi à découvrir un nouveau moyen de communication entre le « monde du tangible » et le « monde de l'impalpable »...

En peu d'années, le dernier-né des procédés spirites devient la « friandise » des parapsychologues et des électroniciens, qui tantôt participent directement aux travaux de son inventeur, tantôt imitent son exemple en entreprenant leurs propres recherches et mettant au point des récepteurs-enregistreurs spécialement prévus pour fixer sur bande des sons normalement inaudibles. Naissent ainsi le *Goniomètre*, le *Psychophon*, plusieurs types de plus en plus perfectionnés d'un appareil curieux nommé *Mark*, puis aussi le *Spiricom*...

Tandis que ses disciples devenus « indépendants » explorent toutes les possibilités dans leurs laboratoires électroacoustiques situés un peu partout en Europe occidentale, en Union soviétique et aux Etats-Unis, Friedrich Jürgensen poursuit ses expériences inlassablement. Il demeure ainsi le spécialiste le plus universellement connu des enregistrements aptes à faire penser : les esprits n'ont rien contre les techniques modernes. (D'autant que, bien souvent, des communications apportent des conseils et précisions permettant l'amélioration constante de la réception et de l'audibilité des messages captés.)

À ceux qui expriment encore des réserves (notamment en attribuant les résultats à des facteurs purement parapsychologiques, excluant de facto l'éventualité d'un rôle tenu par les esprits), Jürgensen oppose des arguments scientifiques qui paraissent confirmer l'origine « non humaine » des voix. Dans son (remarquable) ouvrage *La Médiumnité**, Jackie Landreaux-Valabrègue en cite quelques-uns :

1) *Ces voix se trouvent souvent enregistrées sur* deux pistes *à la fois. Ce qui est tout à fait impossible pour un son terrestre qui ne s'imprime que sur* une seule *piste, sur une bande magnétique.*

2) *La vitesse d'enregistrement ne correspond pas toujours à celle devant être utilisée pour une bonne écoute. La phrase imprimée exige souvent que l'on diminue ou augmente la vitesse d'enregistrement pour être audible et claire.*

3) *Une même phrase, écoutée d'abord à l'endroit puis à l'envers, change de sens. En voici un exemple capté en allemand :* Haben drollige Menschen (Il y a des hommes mauvais). *A l'envers, l'écoute donne ceci :* Man stürzt in den Untergang (On se précipite vers la fin des temps)...

* Ed. Robert Laffont.

POUR OU CONTRE

Toujours dans son livre intitulé *La Voix des Esprits**, **Christine Bergé** fait le récit de sa rencontre avec **Monique Simonet**, illustre adepte française du procédé de Jürgensen et auteur de l'ouvrage *A l'écoute de l'invisible***, une rencontre au cours de laquelle elle constate la réalité du phénomène :

> *... La mise en place des appareils dure peu de temps : une routine. La concentration et l'appel font le reste. Je pense au disparu : « Est-ce que vous êtes là ? Est-ce que vous nous entendez ? »*
>
> *Elle (Monique Simonet) me suggère : « Parlez-lui, vous aussi. »*
>
> *Alternativement, appels et silence : le magnétophone enregistre tout, je note les bruits, les paroles, les gestes. Monique se lève, va dans la salle de bains, fait couler de l'eau. Le magnétophone enregistre le bruit des pas, le bruit de l'eau. Elle revient. Elle frotte légèrement la surface d'un poste radio éteint (« L'eau qui coule, le frottement, cela peut générer des ondes », m'explique-t-elle ensuite). On arrête le magnétophone, on repasse la bande. Après chaque question, on ralentit la bande pour écouter. L'oreille de Monique, déjà bien habituée,*

---

* Ed. A. M. Métailié.
** Ed. Sorlot-Lanore.

perçoit : « Là, il y a quelque chose ! » On écoute, on réécoute : on entend faiblement Bonjour. *La voix est métallique. Il me semble reconnaître le ton cérémonieux avec lequel saluait mon oncle... Sans trop y croire, j'avoue que je suis surprise. On entend, un peu plus loin :* Je suis là, presque un chuchotement. *Quand la voix apparaît, le bruit de l'eau s'estompe, je ne sais pas comment, pour reparaître ensuite. « On entend* Je suis reposé », *dit Monique. Je n'entends pas. Un peu plus loin, j'entends quelque chose comme :* Ils me donnent une maison...

Mon parrain, l'ingénieur électronicien (retraité) **Mihàly Viràg,** de Budapest, avait entendu parler des expériences de Friedrich Jürgensen. Mais, pour qu'il se décide à faire des essais, il a fallu que j'insiste... Quoi qu'il en soit, voici son compte-rendu :

— A quatre reprises et toujours par beau temps, une fois en période de pleine lune, j'ai laissé tourner mon magnétophone professionnel Sony toute la nuit, puis j'ai écouté les bandes au ralenti. J'entendais parfaitement même des bruits présumablement assez lointains, le ronflement des voitures de tourisme et des bus, la sirène d'un bateau qui devait remonter ou redescendre le Danube, l'aboiement de quelques chiens noctambules, le roucoulement des tourterelles qu'héberge un square distant d'environ deux cents mètres de ma maison, mais pas la moindre trace sonore pouvant ressembler à la voix de ma femme — dont pourtant j'espérais pouvoir obtenir un signe — ou la voix de quiconque d'autre rappelé par le Seigneur...

« Puis, j'ai passé des heures et des heures, entre le crépuscule et l'aube, à enregister le matériel acoustique capté par mon poste de radio Siemens — le plus puissant des modèles actuellement vendus —, aux longueurs d'ondes préconisées par Jürgensen. Les bandes magnétiques utilisées devaient rendre impeccablement mille crachotements, fritures et, parfois, aussi des bribes d'émissions faites par des radios amateurs allemands, russes, néerlandais ou autres bel et bien vivants sur notre globe, sans que je puisse localiser un seul élément originaire d'ailleurs... »

IV

LES MANIFESTATIONS
DE LA MÉDIUMNITÉ

UN APPORT PRIMORDIAL

Que mon parrain ait subi un échec en expérimentant le procédé de Friedrich Jürgensen ne me surprend pas. Supérieurement intelligent, bon, toujours serviable, aimable, passablement épicurien, et connaisseur en matière de littérature, il ne s'est passionné dès sa jeunesse, que pour les sciences exactes en général et la technique radio en particulier. Même en dehors de ses heures de travail (d'abord chez Siemens, puis au Ministère des Communications), rien ne l'intéressait autant que les progrès scientifiques. Aujourd'hui encore, à presque quatre-vingt-dix ans, il consacre entièrement son temps libre à suivre de près le domaine de l'électronique et de l'électroacoustique...

Une telle absence d'intérêt profond pour les manifestations artistiques nombreuses et diversifiées qu'offre à ses habitants Budapest (ville surnommée à juste titre le *Paris de l'Europe centrale*), mais aussi le manque de curiosité à l'égard de l'ésotérisme et de la métaphysique (en catholique pratiquant, il n'a jamais cherché à élargir son horizon spirituel par une familiarisation ne serait-ce que superficielle avec les autres religions), dénotent une certaine insensibilité au contact des facettes de notre vie généralement considérées comme « pas concrètes »...

Or, *LA SENSIBILITE OU MEME L'HYPERSENSIBILITE DE L'INDIVIDU EN TOUTES CIRCONSTANCES SONT LES CARACTERISTIQUES QUI LAISSENT SUP-*

155

POSER D'EMBLEE SA FORTE MEDIUMNITE. Et, justement, la pratique le démontre : Qu'il soit « archaïque », comme ceux nés au siècle dernier, ou « d'avant-garde », comme ceux qui gagnent du terrain depuis 1957, un procédé spirite ne donne des résultats probants qu'en présence d'hommes ou de femmes qui ont réussi à préserver, ou mieux encore, à développer leurs aptitudes médiumniques innées !

En somme, pour pouvoir capter des « messages d'outre-tombe », même les outils révolutionnaires que sont le lecteur de cassettes, le magnétophone, le poste radio, le téléviseur, l'ordinateur ou le téléphone exigent une contribution directe de la part de leur manipulateur... une contribution qui s'appelle l'*apport médiumnique !*

FACTEURS ESSENTIELS

Quels que soient nos races, signe zodiacal, lieu de naissance, etc., nous sommes presque tous prédisposés à devenir d'excellents médiums, affirment les apôtres du spiritisme. *La faculté est inhérente à l'homme,* note Allan Kardec, *et par conséquent n'est point un privilège exclusif ; aussi en est-il peu chez lesquels on n'en trouve quelques rudiments.*

Comment se fait-il, alors, que cette faculté n'atteigne son degré optimal que chez relativement peu d'« élus » ? Eh bien, nous serions tributaires, essentiellement, de facteurs tels que l'éducation, l'environnement, le mode de vie...

Examinons d'abord le rôle de l'éducation : si celle-ci est placée sous l'égide du rationalisme le plus strict, sans laisser trop de place à l'imaginaire, elle anéantit rapidement la réceptivité de l'enfant ou de l'adolescent : il ne prêtera plus attention à ses pulsions, à son instinct, mais s'engagera sur une voie qui le conduira à ignorer complètement tout ce qui défie sa logique.

L'environnement exerce une influence déterminante, lui aussi. Autant un contact permanent avec la Nature favorise la sauvegarde ou même le développement de la faculté médiumnique (innée, faut-il le rappeler !), autant le milieu citadin lui serait néfaste, parce que ses contraintes finissent par estomper cette sensibilité qui devrait être élevée pour permettre l'essor de la médiumnité.

Le mode de vie ? Il est compréhensible que les hommes et les femmes complètement absorbés par leurs activités professionnelles et leurs occupations familiales perdent beaucoup d'énergie, y compris celle spécifiquement nécessaire à la production de phénomènes peu communs. En revanche, les personnes qui mènent une existence plutôt « au ralenti » seraient plus facilement portées à percevoir et à provoquer des manifestations en rapport avec l'univers du spiritisme, ou de la parapsychologie.

CATÉGORIES ET VARIÉTÉS

Allan Kardec classe les médiums en deux catégories majeures*. Dans la première, nous trouvons ceux capables de « provoquer des effets matériels ou des manifestations ostensibles », autrement dit les *médiums à effets physiques* :

— en présence des *médiums typteurs* des bruits divers et inexplicables se laissent entendre, qui donnent l'impression, en outre, qu'on frappe des coups ;

— les *médiums moteurs* sont doués pour faire déplacer des objets, sans les toucher évidemment (les parapsychologues parlent alors de télékinésie ou de psychokinésie) ;

— le terme *médiums à translations et suspensions* se réfère aux personnes qui provoquent la lévitation d'objets et (ou) vont jusqu'à pouvoir léviter elles-mêmes ;

— si les instruments de musique disposés autour d'un individu se mettent à jouer tout seuls, on dira que celui-ci est un *médium à effets musicaux ;*

— par le dégagement de la substance nommée ectoplasme, les *médiums à apparitions* donnent lieu à la

---

* *Le Livre des Médiums* (Ed. Dervy-Livres).

157

« matérialisation d'esprit » (corps entier ou seulement la tête, les mains, les pieds...), un phénomène tantôt strictement visible, tantôt également tangible ;

— les *médiums à apport* sont les messagers susceptibles de transmettre aux destinataires les « cadeaux des esprits » (il peut s'agir d'objets divers bel et bien réels, mais Allan Kardec précise que ce phénomène ne se produit que très très rarement) ;

— le *médium nocturne* est celui qui ne peut fournir les preuves de ses facultés médiumniques que si la pièce où se déroule l'expérimentation est plongée dans un noir plus ou moins absolu ;

— lorsque, sur une feuille de papier ou sur une ardoise, apparaît un texte écrit par une « main invisible », on l'attribue à un *médium pneumatographe ;*

— le *médium guérisseur* est censé pouvoir triompher de la maladie, par la prière ou en se servant de l'une ou l'autre des méthodes du magnétisme, mais Allan Kardec note : « *Cette faculté n'est pas essentiellement médianimique, elle appartient à tous les vrais croyants, qu'ils soient médiums ou non ; elle n'est souvent qu'une exaltation de la puissance magnétique fortifiée, en cas de besoin, par le concours de bons Esprits* » ;

— les annales du spiritisme font état de cas d'hommes ou de femmes analphabètes subitement capables d'écrire, en raison d'une action mentale exercée par un *médium excitateur*, et Allan Kardec précise : « *C'est plutôt ici un effet magnétique qu'un fait de médiumnité proprement dit, car rien ne prouve l'intervention d'un Esprit.* »

Pour ce qui est de la deuxième catégorie, celle des *médiums à effets intellectuels*, c'est-à-dire des hommes ou des femmes particulièrement aptes « *à recevoir et à transmettre les communications intelligentes* » (des esprits, cela s'entend), Allan Kardec y fait figurer les :

— *médiums auditifs*, qui ont l'impression d'entendre des voix originaires de l'au-delà ;

— *médiums parlants*, qui s'expriment oralement au nom et à la place d'entités désincarnées ;

— *médiums voyants*, qui ont le privilège de pouvoir

distinguer la silhouette plus ou moins floue de quelque esprit à n'importe quelle heure du jour ou de la nuit;

— *médiums inspirés*, qui bénéficient du soutien des esprits sur un niveau purement et simplement mental, qu'il s'agisse d'idées dictées pour la ligne de conduite à tenir ou pour l'exécution d'un projet quelconque;

— *médiums à pressentiments*, qui sont aidés par les esprits en des circonstances diverses, à travers des « signaux d'alarme » intuitifs, leur indiquant ce qui doit ou ne doit pas être accompli;

— *médiums prophétiques*, qui captent des messages annonçant tel ou tel événement pouvant avoir des répercussions sur le sort d'autrui;

— *médiums somnambules*, qui sont épaulés par des forces de « l'autre monde », lorsqu'ils ont la conscience mise en veilleuse (ici, Allan Kardec ne fait pas allusion au phénomène étrange qui se produit quand les somnambules se déplacent sans heurter un meuble, sans tomber d'un toit ou d'une terrasse, etc., mais se réfère aux cas comparables à ceux observés par le marquis du Puységur, vers la fin du xviiie siècle : le somnambule se montre capable de diagnostiquer sa propre maladie ou celle d'autrui et précise quelle sera la thérapie la plus appropriée pour activer la guérison);

— *médiums extatiques*, qui parviennent à entrer en rapport avec les esprits uniquement s'ils sont en état d'extase (Allan Kardec remarque : « *Beaucoup d'extatiques sont le jouet de leur propre imagination et des Esprits trompeurs, qui profitent de leur exaltation; ceux qui méritent une entière confiance sont très rares* »);

— *médiums peintres ou dessinateurs*, qui arrivent à peindre et (ou) à dessiner, sans formation préalable, mais comme si leur main était guidée par des entités invisibles;

— *médiums musiciens*, qui sont capables de composer et (ou) d'interpréter des œuvres musicales inspirées par des esprits.

Quant à ces derniers, Allan Kardec fait la distinction entre des médiums musiciens « mécaniques, semi-méca-

159

niques, intuitifs et inspirés », tout comme lorsqu'il aborde le domaine des médiums écrivains, qui retiennent tout spécialement son attention :

— les *médiums écrivains ou psychographes* (ils écrivent normalement, mais sous l'emprise des esprits) ;

— les *médiums écrivains mécaniques* (ils ne savent pas ce qu'ils écrivent, leur main est un simple instrument utilisé par un esprit) ;

— les *médiums écrivains semi-mécaniques* (leur main écrit « toute seule », mais ils sont capables de prendre conscience du contenu du message alors même que le phénomène se produit) ;

— *les médiums écrivains intuitifs* (ils transcrivent consciemment les pensées qui leur sont inculquées par les esprits) ;

— les *médiums polygraphes* (leur écriture se modifie selon l'identité de l'esprit qui s'exprime par leur intermédiaire et, parfois, cette écriture « autre » correspond exactement à celle qu'avait la personne concernée de son vivant) ;

— les *médiums polyglottes* (sans jamais avoir été familiarisés avec elles, ils parviennent à écrire et à parler certaines langues étrangères mortes ou vivantes) ;

— les *médiums écrivains illettrés* (des analphabètes qui, en état de médiumnité, possèdent la faculté de pouvoir écrire normalement).

Le Maître énonce aussi toutes les autres distinctions pouvant être faites, selon l'expérience, la productivité, etc. des divers médiums écrivains, ou encore en fonction du genre des communications qu'ils obtiennent (poétiques, littéraires, historiques, scientifiques, philosophiques, etc.), puis il attire l'attention sur le fait que certains médiums écrivent lentement et calmement, d'autres plus vite que d'habitude (à un tel point que, parfois, il leur est impossible de se relire).

Mais, surtout, Allan Kardec met en garde contre les dangers qu'encourent les médiums qui perdent le contrôle d'eux-mêmes et écrivent dans un état de surexcitation : « *Il faut que ces médiums ne se servent que rarement de leur faculté, dont l'usage trop fréquent pourrait affecter le système nerveux!* »

L'auteur du plus complet des manuels permettant de connaître toutes les caractéristiques de la médiumnité ne manque pas, non plus, de mettre en relief la différence entre les *médiums imparfaits* et les *bons médiums.* Il englobe dans la première catégorie ceux dont l'imperfection résulte de l'une ou l'autre des causes suivantes :

— incapacité de « se débarrasser d'Esprits importuns ou trompeurs » ;

— incapacité de distinguer les communications fiables et celles qui ne les sont pas ;

— soumission à des esprits inférieurs maléfiques ;

— usage de la faculté médiumnique uniquement à titre de distraction et (ou) pour obtenir des réponses à des questions qui portent sur des futilités ;

— refus de tenir compte des instructions destinées à améliorer l'individu sur le plan moral ;

— contraction de présomption et d'orgueil, en raison des communications obtenues, et tendance à se croire infaillible dans leur interprétation ;

— exploitation de la faculté médiumnique à des buts lucratifs... ou pour en tirer des avantages quelconques ;

— prétexte tiré de la possession d'une faculté médiumnique pour faire des performances qui relèvent, en réalité, du domaine de la prestidigitation ;

— utilisation du don médiumnique à des fins strictement personnelles ;

— jalousie manifestée à l'égard d'autres médiums.

Et les *bons médiums ?* Allan Kardec les considère comme tels parce qu'ils :

— se servent de leur faculté médiumnique uniquement pour des causes justes et jamais pour ce qui n'est pas important ;

— ne se font aucun mérite des communications reçues ;

— comprennent que le vrai médium a une mission, celle de faire tout son possible pour aider ses semblables, non seulement par des paroles mais aussi par des actes ;

161

— possèdent toutes les vertus et aptitudes pouvant leur permettre d'une part d'être assistés par des esprits supérieurs, d'autre part de se tromper le moins souvent possible lors de l'interprétation des messages obtenus.

Quoi qu'il en soit, existent aussi, selon Allan Kardec, des *variétés communes à tous les genres de médiumnité :*

— les *médiums sensitifs* ont la particularité de « ressentir » l'éventuelle présence d'un esprit et, parfois, devinent immédiatement s'il est bénéfique ou maléfique ;

— les *médiums naturels ou inconscients* sont à l'origine de phénomènes (coups frappés, lévitations, etc.) sans y contribuer par la force de leur volonté... et même, très souvent, ignorent être ceux qui les ont déclenchés ;

— à l'autre extrême, les *médiums facultatifs ou volontaires* possèdent la capacité de pouvoir provoquer consciemment et délibérément la manifestation de ces mêmes phénomènes « typiquement spirites ».

Enfin, tout en précisant que cette conclusion lui a été dictée par l'esprit de Socrate, Allan Kardec écrit :

« ... *C'est un tort grave que de vouloir pousser au développement d'une faculté qu'on ne possède pas ; il faut cultiver toutes celles dont on reconnaît le germe en soi, mais poursuivre les autres, c'est d'abord perdre son temps et en second lieu perdre peut-être, affaiblir pour sûr, celles dont on est doué...* »

On comprend donc pourquoi, comme nous le verrons plus loin, les médiums les plus universellement connus du siècle dernier ne se dispersaient pas, mais s'astreignaient à exploiter une seule ou, le cas échéant, quelques-unes de leurs aptitudes (lévitation d'objets, formation d'ectoplasme, etc.), sans jamais essayer de se montrer experts en l'utilisation de tous les « moyens d'expression » du spiritisme. Leurs épigones du xxᵉ siècle devraient d'ailleurs en faire autant...

Les recommandations d'Allan Kardec et les exemples donnés par les médiums célèbres d'hier et d'aujourd'hui plaident ainsi en faveur d'une « spécialisation ». Sans aller jusqu'aux phénomènes les plus spectaculaires, contentons-nous d'envisager le cas de l'aptitude éventuelle à « faire parler » une table. La personne en possession d'une telle faculté n'a donc pas intérêt à essayer le oui-ja ou le verre à pied, mais devra chercher à se perfectionner dans l'obtention et l'interprétation instantanée des messages transmis par l'intermédiaire d'un certain nombre de coups frappés.

Persévérons dans l'emploi du support qui se révèle efficace tout en n'oubliant pas que l'écriture automatique demeure, de l'avis général, le plus satisfaisant des moyens de communication spirites expérimentés à ce jour.

DÉVELOPPEMENT
DE LA FACULTÉ MÉDIUMNIQUE

Ceux qui ont le privilège de pouvoir rester des « éternels enfants » parviennent, en règle générale, à sauvegarder ce *potentiel médiumnique* qui se déclare chez la grande majorité des individus dès l'enfance (songeons aux intuitions, prémonitions ou pressentiments extrêmement fréquents chez les garçons et les filles en bas âge). Les autres ne peuvent, tout au plus, qu'en préserver une parcelle, c'est l'un des prix qu'ils doivent payer pour avoir voulu ou dû se détacher d'un état qui les rendait exceptionnellement perméables à des vibrations scientifiquement encore inidentifiables et parfois supposées d'origine *tellurique* ou *cosmique*...

Est-il possible de récupérer ce qui a été perdu ? Y a-t-il une chance de pouvoir construire quelque chose de solide sur un fondement plus ou moins gravement endommagé ? Théoriquement, oui. Dans la pratique, il s'avère que la performance exige volonté, perspicacité, foi et discipline — bien plus qu'on ne pourrait le supposer. Et puis, pour que le succès arrive, il faut aussi le concours de circonstances propices, une aubaine que la vie offre très, très rarement à la veille du XXIᵉ siècle.

Quoi qu'il en soit, essayer est toujours possible. D'autant que les disciples actuels du grand Allan Kardec vantent l'efficacité de la méthode que préconisait leur Maître pour le *développement de la faculté médiumnique par des exercices d'écriture automatique (psychographie ou*

164

écriture « mécanique » ou indirecte). Voici quelques étapes.

— Procéder dans le calme et le recueillement (tout comme lorsqu'il s'agit des expériences avec une table, un oui-ja, etc.) et *sans impatience ni désir fiévreux,* jour après jour, chaque fois pendant une dizaine de minutes ou un quart d'heure au plus. (Allan Kardec nota qu'il connaissait certains individus dont la formation avait nécessité environ six mois, mais aussi des personnes capables de triompher des difficultés dès leur tout premier exercice.)

— Faire de sorte que le libre mouvement de la main soit assuré (il est préférable qu'elle ne repose pas sur le papier, à moins qu'on ait cette habitude en écrivant normalement) et appuyer la pointe du crayon ou du stylo suffisamment pour tracer, mais pas assez pour éprouver de la résistance.

— Ne pas avoir l'ambition d'entrer en rapport d'emblée avec un esprit déterminé (celui d'un parent, d'un ami...), mais tenter d'établir le contact avec un esprit (supérieur) *disponible,* et ceci après avoir demandé une assistance surnaturelle. (Allen Kardec suggère la formule suivante : « *Je prie Dieu tout-puissant de permettre à un bon Esprit de se communiquer à moi et de me faire écrire ; je prie aussi mon ange gardien de vouloir bien m'assister et d'écarter les mauvais Esprits.* »)

— Le cas échéant, se faire assister par un médium formé (sa tâche consistera à poser légèrement la main sur celle de la personne qui accomplit l'exercice) ou bien procéder en compagnie d'autres débutants (la démarche collective aurait l'avantage d'assurer la formation d'un « fond fluidique commun de médiumnité » suffisamment riche pour faciliter la concrétisation du phénomène, mais pas obligatoirement chez tous les participants).

Le signe avant-coureur est un léger frémissement au niveau du bras et de la main qui tient le crayon ou le stylo. Puis, si tout va bien, la main se trouve entraînée par un « dynamisme occulte irrésistible »...

Dans la majeure partie des cas, on n'obtient au début qu'un amas de traits, démunis de signification. (Certains découvrent des lettres, des mots ou des phrases plus ou moins lisibles au cours des premiers exercices, mais c'est plutôt rare.) *L'important est de ne pas se décourager, mais de persévérer.* Insister devient inutile si après six mois environ, aucun progrès ne s'est produit.

Il n'est pas vraiment prouvé, mais fort possible, que la médiumnité puisse être développée également grâce à des exercices de relaxation ou par la pratique de la méditation. Leur action bénéfique contribuerait — et ceci paraît logique — à la libération ou à la multiplication des « énergies secrètes » dont le concours expliquerait la naissance des divers phénomènes médiumniques.

LA MÉDIUMNITÉ
ET LES ÉCRIVAINS

L'histoire de la littérature mondiale nous permettrait certainement l'identification d'un grand nombre de médiums écrivains si, avant qu'on commence à parler de spiritisme, il n'avait été coutume d'attribuer à *l'inspiration* ou assimiler à *l'extase* (sans oublier la définition *transe*) le curieux phénomène qui se produit lorsque, plus ou moins subitement et sans savoir comment, un homme ou une femme se trouvent en mesure de « matérialiser » par l'écriture, avec plus grande facilité, les idées qui jaillissent de leur esprit, les images qui défilent sur l'écran de leur cerveau.

Simple détail (?), la créativité sous cette forme se présente spécialement la nuit, autrement dit aux heures considérées comme propices à la manifestation des esprits...

L'EXEMPLE DE BALZAC ET D'AUTRES ÉNIGMES...

Balzac rédigeait surtout la nuit, et parfois dans la journée, mais dans des conditions le mettant à l'abri de toute lumière et de tout bruit provenant de l'extérieur ; il écrivait comme l'on sait avec une rapidité exceptionnelle. Cependant, en « état lucide », il était obligé de consacrer beaucoup de temps aux corrections. En somme, sa productivité invraisemblable était fonction de ces mêmes obscurité (pénombre) et silence qui sont recommandés pour la pratique des procédés classiques du spiritisme. Peut-on en déduire qu'il fut un *médium écrivain* ? Peut-être. En tout cas, lui-même ne mit jamais en rapport l'extrême richesse de son œuvre avec la facilité que lui aurait offerte le concours de « collaborateurs invisibles ».

Il est tout aussi surprenant que Jules Verne, l'Allemand Karl May, l'Italien Emilio Salgari, etc., aient pu non seulement écrire, à leur tour, un nombre exceptionnellement grand de romans, mais encore éblouir les lecteurs avec des descriptions minutieuses d'usages, paysages, etc., de pays qu'ils n'avaient jamais visités. (De nos jours, grâce à l'abondance de documentation offerte par la presse écrite et parlée, l'édition, le cinéma, les émissions télévisées, la chose serait plus compréhensible, évidemment.) Quant à l'aspect prophétique de certains livres de Jules Verne, tout commentaire paraît superflu...

Et comment ne pas s'étonner du cas du jeune paysan normand Pierre Rivière ? Emprisonné pour avoir tué ses mère, frère et sœur (en 1830), ce garçon inculte de vingt ans rédigea un long exposé au sujet de son crime, et ceci dans un style littéraire impeccable, sobre, concis et élégant à la fois, style peu concevable de la part d'un être habitué à manipuler les outils agricoles !

EXPÉRIENCE PERSONNELLE

Vers ma sixième année naissaient mes premiers poèmes. A quatorze ans, je découvrais Baudelaire, Rimbaud et Voltaire. Le « complexe d'infériorité » contracté alors m'a empêché de poursuivre dans le domaine poétique, mais je continuais à « pondre » des romans de cape et d'épée (jamais publiés bien entendu) dont le premier avait été terminé avant que j'atteigne ma douzième année. Ces activités se déployaient exclusivement la nuit. Mes parents étaient intrigués par la vitesse avec laquelle je parvenais à noircir des dizaines et des dizaines de feuilles de papier en l'espace de quelques heures. En ce qui me concernait, la surprise se manifestait aux moments où, à tête reposée, je prenais connaissance des aventures rocambolesques de mes héros. Je me demandais par quel prodige elles avaient pu surgir dans mon imagination... Complicité de l'esprit de quelque écrivain (vraisemblablement raté)? A l'époque, je n'y pensais pas, mais c'est la question que je me pose aujourd'hui.

LE « RECORDMAN »

En juin 1991, le *Centre d'Etudes Spirites Allan Kardec*, de Paris, dirigé par Claudia Bonmartin, m'a permis de rencontrer le médium écrivain brésilien **Divaldo Pereira Franco,** auteur de presque une centaine de livres en moins de vingt-cinq ans. Laissons-lui la parole :

— Avant de me mettre à écrire, je me relaxe le plus possible, grâce à une technique orientale. Après, ça vient tout seul. Au début, je suis conscient de ce que j'écris, puis je ne le suis plus. L'esprit de Victor Hugo, celui de la religieuse Joanna de Angelis *, ou encore d'autres esprits, me transforment en un simple outil. J'écris, j'écris et j'écris, sans savoir quoi. Lorsque ma main n'écrit plus, je regarde. Et la lecture me le confirme : ce qui a été écrit ne vient pas de moi.

« Romans, ouvrages philosophiques, théologiques etc., quel que soit le genre abordé, mon travail consiste à structurer ensuite le contenu des textes qui voient le jour par l'intermédiaire de ma main. L'attrait d'une intrigue romanesque ou le riche enseignement qui se dégage des exposés spiritualistes, c'est pareil : personnellement je n'y suis pour rien.

« Ma médiumnité s'est déclarée quand j'étais petit. Un jour, j'ai vu, vraiment vu, ma grand-mère et ma tante, alors qu'elles ne vivaient plus. Plus tard, la mort de mon frère a déclenché en moi une maladie psychosomatique ; une guérisseuse venait à la maison pour me soigner par

* Assassinée par des soldats portugais à Salvador, en 1822.

magnétisme. Non seulement elle a réussi à chasser le mal que les médecins n'avaient pas réussi à éradiquer, mais encore a-t-elle assuré à ma mère : « Cet enfant a des dons médiumniques exceptionnels, il est prédestiné à faire le bien autour de lui, vous n'avez pas le droit de l'entraver en le punissant quand il dit avoir des visions... » Ma mère l'a écoutée. Il ne me restait, alors qu'à tirer les choses au clair avec notre curé. C'était important, parce que j'étais enfant de chœur : je ne pouvais le seconder tout en me trouvant en état de péché. Je lui ai donc demandé s'il y avait moyen de ne pas courroucer Dieu par ma capacité de voir les morts.

« Confus, le prêtre cherchait ses mots et, à ce moment précis, j'ai aperçu dans la sacristie une vieille dame qui me souriait avec bienveillance et que le curé, lui, ne voyait pas. J'ai donné sa description et le brave homme s'est exclamé : « Mais c'est ma mère ! » Puis, il a ajouté : « En effet, tu vois les morts et si Dieu te le permet, il n'est aucune raison pour te croire coupable. Inutile de passer dans le confessionnal, va en paix ! » Ce que j'ai fait.

« Voilà comment tout a commencé. Bien plus tard, en lisant les livres d'Allan Kardec, j'allais comprendre où résidait ma voie : devenir l'instrument des esprits qui veulent prouver aux vivants que la mort n'est qu'un passage d'un état à l'autre !...

« Je peux d'ailleurs l'affirmer en connaissance de cause, savoir que cette vie n'est qu'une parmi toutes celles que vous avez déjà vécues ou que vous vivrez encore vous donne sérénité et courage.

« Une nuit, un malabar m'a barré le chemin et a pressé son couteau contre ma gorge. Avec le sourire et calmement, je lui ai expliqué que j'étais sorti pour faire une promenade et que je n'avais pas d'argent sur moi. Il m'a répondu : « Tant pis pour toi, je vais te tuer !... Mais, dis-moi, pourquoi n'as-tu pas peur ? » Je lui ai tenu un petit discours sur l'immortalité de l'âme et, grâce à mes dons de clairvoyance, j'ai fait allusion aux problèmes qui l'avaient poussé au banditisme. Il a été visiblement ébranlé et a aussitôt baissé son arme. J'ai alors poursuivi : « L'idée de la mort ne me fait pas peur au point que je vous invite à venir chez moi. Vous pourrez ainsi vous emparer de mes économies et me tuer après, afin que je ne mette pas la police à vos trousses. » Il est effectivement monté dans mon appartement, mais sans intention criminelle, pour m'écouter parler de l'au-delà et pour en tirer le plus grand réconfort moral. Mais il fallait trouver une issue, qu'il puisse nourrir sa famille sans s'attaquer aux noctambules. Alors, je l'ai engagé à mon service. Depuis sept ans, il est mon garde du corps !...

LA VOIX DU PÈRE

Dorothée Koechlin de Bizemont a non seulement évoqué ses souvenirs au sujet des châteaux hantés de la Dordogne, mais m'a aussi confié :

— Initiée très jeune au spiritisme, j'ai été étonnée d'apprendre qu'Allan Kardec avait écrit la presque totalité de ses ouvrages sous l'influence des esprits, qui les lui « dictaient » ou bien « guidaient » sa main. A vrai dire, je n'osais pas espérer privilège semblable... Et, pourtant, j'en suis là. Les esprits de mon père et du célèbre médium américain Edgar Cayce m'ont permis d'écrire mes treize livres parus au cours des dernières années.

« Remarquez, je n'avais jamais l'impression d'être devenue un automate. Bien au contraire, j'ai toujours parfaite conscience des mots et des phrases qui finissent par former des paragraphes, des pages, des chapitres. Mais, en même temps, je sens qu'ils aboutissaient en venant de « l'extérieur ». Ceci m'est d'ailleurs confirmé par les communications que les esprits de mon père et d'Edgar Cayce m'adressent par des moyens autres que l'écriture (la voyance en premier lieu). A l'occasion d'apparitions plus ou moins fréquentes, ils se réfèrent au livre que je suis en train d'écrire ou déjà abordent le sujet du suivant.

LA MÉDIUMNITÉ
ET LES PEINTRES

Allan Kardec s'insurgeait contre les « *choses grotesques que désavouerait le dernier écolier* » et ne voyait des peintres médiums authentiques que dans ceux qui abordaient des « *choses sérieuses* ». Mais, peut-être, une telle attitude s'expliquait-elle par son appétence pour la peinture académique et ses goûts en général assez conservateurs. Les œuvres méprisées par lui seraient aujourd'hui répertoriées comme : abstraites, abstractisantes, expressionnistes, surréalistes, etc.

Quoi qu'il en soit, les activités des nombreux artistes supposés dessiner ou peindre en état de médiumnité éveillèrent la curiosité du public déjà peu après la naissance du mouvement spirite. Il fallut cependant qu'arrive le début des années vingt de notre siècle pour que les critiques d'art et les collectionneurs s'y intéressent vraiment, à l'issue des premières expositions parisiennes d'un peintre amateur né en 1876 à Saint-Pierre-les-Auchel (Pas-de-Calais) et mineur de son métier. L'originalité et la qualité esthétique des compositions à caractère le plus souvent ésotérique, incluant par exemple des éléments propres aux iconographies sacrées bouddhiste, chrétienne, égyptienne, hindouiste, inca, maya, sumérienne, etc. allaient justifier la célébrité internationale de ce merveilleux peintre.

La médiumnité et les peintres

Augustin Lesage, *par lui-même* *

... Je travaillais couché dans un petit boyau de cinquante centimètres donnant sur une galerie éloignée du mouvement de la mine. Dans le silence, il n'y avait pour moi que le bruit de ma pioche. Quand, tout à coup, j'entends une voix, très nette, dire : « Un jour, tu seras peintre ! »... Peu de jours après, également dans la mine et travaillant seul, la voix se fait encore entendre. Personne n'était autour de moi, cette fois encore. Je fus épouvanté...

Huit mois, dix mois peut-être, passèrent. Je ne pensais plus aux voix ni à mes peurs, quand, un jour, comme j'étais avec quelques camarades de mine et que nous parlions, l'un d'eux dit : « Savez-vous qu'il paraît qu'il y a des esprits, qu'on peut même communiquer avec eux. J'ai lu cela. Ça s'appelle le Spiritisme ».

Cette révélation me bouleversa. Je me dis : « Est-ce que cela ne serait pas en rapport avec mes voix ? »... Avec l'ami Ambroise Lecomte, mort maintenant, sa femme, ma femme, Raymond Gustin, mineur à Ferfay, et moi, nous décidâmes d'expérimenter le spiritisme... Ayant lu que les groupes spirites évoquent les esprits en se tenant par les mains autour d'une table légère, nous nous sommes assis autour d'un petit guéridon de vannerie que vendent les Bohémiens. Nous avons lu une prière, nous avons baissé la mèche de la lampe, et, dans une demi-obscurité, nous avons attendu ce qui allait se passer, avec une grande simplicité d'âme et de la crainte.

Nous étions à peine depuis dix minutes avec nos mains sur la table, quand un craquement se fit entendre. Mes cheveux se dressèrent sur ma tête. Mes camarades aussi avaient peur... Tout d'un coup, la table se soulève. Elle vacille et vient me frapper cinq

* Extraits du texte reproduit par Jean-Louis Victor, dans son ouvrage *L'Autre Côté de la Vie* (Editions F.-G. France).

fois, très fort. Je dis aux camarades : « Mais ça me fait mal ! » L'un d'eux demande : « Est-ce Lesage qui est médium ? » La table frappe un coup, ce qui selon nos conventions veut dire oui. Elle se soulève de nouveau et vient encore me frapper... Très intéressés par ce début, qui nous étonna, nous décidâmes de faire une séance tous les jeudis, à huit heures du soir.

Le jeudi suivant... Dix minutes à peu près se passent. La table commence à vaciller. Elle vient encore sur moi. Ma main droite se met à trembler. Je ne peux plus l'empêcher de remuer. Je sens qu'elle veut écrire. Lecomte met sur la table un crayon et du papier. Je prends le crayon et ma main se met à écrire ce message, que je ne peux pas oublier :

« Aujourd'hui, nous sommes heureux de nous communiquer à vous. Les voix que tu as entendues sont une réalité. Un jour, tu seras peintre. Ecoute bien nos conseils, et tu verras qu'un jour tout se réalisera, tel que nous le disons. Prends à la lettre ce que nous te disons et ta mission s'accomplira. »

Je ne pouvais pas croire que cela fut possible. Dans la séance suivante, nous avons installé sur la table une feuille de papier et des crayons de toutes les couleurs. Nous avons baissé beaucoup la mèche de la lampe. Ma main a pris un crayon, puis d'autres crayons, et, sans que je sache ce qu'elle faisait, elle a fait un premier dessin... Après quelques séances faites ainsi, il arriva que, dans une séance, ma main s'arrêta brusquement. Je dis à mes camarades : « Ma main ne veut plus marcher, le crayon ne veut plus rien faire. » Et ma main se mit à écrire ce message :

« Aujourd'hui, il n'est plus question de dessin, mais de peinture. Sois sans crainte, suis bien mes conseils. Oui, un jour tu seras peintre et tes œuvres seront soumises à la science. Tu trouveras cela ridicule dans les débuts. C'est nous qui tracerons par ta main. Ne cherche pas à comprendre. Surtout, suis bien nos conseils. Tout d'abord nous allons te donner par l'écriture les noms des pinceaux et des couleurs que tu

iras chercher chez M. Poriche, à Lillers. Tu trouveras chez lui tout ce qu'il te faudra. »

Alors, je reçus de mes guides les noms des couleurs : blanc d'argent, vert Véronèse, etc., pinceaux nᵒˢ 1, 2, etc.

... Rentré chez moi avec plusieurs pinceaux, des tubes de couleurs et une palette, je fixe une feuille de papier sur le mur, je mets des couleurs au hasard sur ma palette, je prends le plus gros des pinceaux, il était gros comme le doigt, et me voilà parti !...

J'ai peint ainsi quatre feuilles de papier... Ma main écrivit ensuite ce message :

« Il n'est plus question de tout cela. Tu vas maintenant travailler sur la toile. »

A un ami qui allait en ville, je demandai de me faire envoyer une petite toile pour peindre, sans préciser la dimension. Quelques jours après, une lettre d'avis m'arriva de la gare voisine. J'y vais un dimanche matin, avec un camarade... Nous déplions la toile, pour voir, elle a trois mètres sur trois !...

Chaque soir, j'ai travaillé au sortir de la mine. J'arrivais fatigué, mais la fatigue partait aussitôt que je me mettais à peindre. L'esprit m'a tenu sur un petit morceau de la toile pendant trois semaines. Ma main bougeait à peine. J'en perdais patience. Je n'avançais pas. Et il y avait tant de travail à faire !

Ensuite, cela a été tout seul, les petits pinceaux ont marché vite ! La toile s'est couverte de belle peinture. On est beaucoup venu la voir.

C'est à partir de ce moment-là que j'ai pris goût à peindre...

Jamais il ne m'est arrivé, avant de peindre une toile, d'avoir une idée de ce qu'elle serait. Jamais je n'ai eu une vision d'ensemble d'un tableau à n'importe quel endroit où j'en étais de son exécution. Un tableau se fait détail par détail, sans que rien ne m'en vienne préalablement dans l'esprit. Mes guides m'ont dit : « Ne cherche pas à savoir ce que tu fais. » Je m'abandonne à leur impulsion. Je trace les lignes qu'ils me

175

font tracer. Je prends les tubes de couleur qu'ils me font prendre et je fais les mélanges qu'ils me font faire sans savoir quelle teinte va se produire. C'est comme au hasard que je prends les pinceaux. Même mes yeux vont où il faut, indépendamment de moi...

En dehors des moments où je peins, je pense très souvent à ce que j'ai fait ; et jamais je n'imagine ce que je vais faire. J'ai toujours le désir de peindre, parce que j'y trouve beaucoup de plaisir, mais je sais bien que je ne puis rien peindre si je ne me mets pas sous l'influence des Esprits.

Quand je travaille, j'ai l'impression d'être dans une autre ambiance que celle ordinaire. Si je suis dans la solitude, que j'aime tant, j'entre dans une sorte d'extase. On dirait que tout vibre autour de moi. J'entends des cloches, un carillon harmonieux, tantôt loin, tantôt près ; cela dure pendant tout le temps que je peins. Mais cette délicieuse musique de cloches n'a lieu que dans le silence, elle s'arrête dès qu'un bruit se fait : une porte qui se ferme, une conversation qui arrive à mon oreille l'interrompent.

Des fois, mes guides arrêtent tout d'un coup ma main qui peint ; ils lui font prendre un crayon et écrire un message m'apportant des conseils sur ce que je fais...

Augustin Lesage connaît la gloire en tant qu'artiste, mais devient aussi l'un des plus populaires porte-drapeaux du spiritisme, spécialement après la mise à jour d'un tombeau égyptien de la XVIIIe dynastie : l'une des fresques comporte un détail pratiquement identique à une scène de sa composition picturale intitulée *La Moisson égyptienne*. Serait-il la réincarnation du décorateur funéraire Ména, qui vécut sous Ramsès II ? Lesage n'en tire aucun bénéfice, et ne varie pas ses habitudes : alors que ses tableaux pourraient être vendus à des prix exorbitants, il ne s'en sépare que pour les offrir à des amis, à des musées ou encore à des personnalités qui manifestent leur sympathie à l'égard de son œuvre, comme par exemple le président Roosevelt. Oui, personnification de l'éthique kardécienne, Lesage refusera de monnayer ce qui vient du monde des esprits ; sa retraite de mineur lui suffit, et même les problèmes financiers provoqués par la détérioration de sa santé, au cours des dernières années de sa vie, ne le décideront pas à changer de ligne de conduite...

C'est en 1954, à l'âge de 78 ans, que Lesage cesse son trajet terrestre, laissant derrière lui quelque neuf cents tableaux, qui demeurent captivants pour les amateurs d'art comme pour les chercheurs attirés par l'insolite, qu'ils se nomment parapsychologues ou non.

SOUS L'ÉGIDE DE L'A.I.D.A.

Présidée par Marie-Aude Boutbien, l'Association Internationale des Arts se donne pour but la familiarisation du public avec l'œuvre de peintres handicapés du monde entier et la valorisation de ces artistes, généralement tenus à l'écart de la diffusion artistique.

L'A.I.D.A. a organisé en juin 1991 à Berlin une manifestation inaugurée par Patrick Ségal, adjoint au Maire de Paris chargé des Handicapés.

Et, justement, parmi la trentaine d'exposants — qui représentaient quinze pays — deux étaient des peintres-médiums...

L'Autrichien **Wilhelm Zimmerhackl** dont l'œuvre paraît avoir quelques réminiscences symbolistes m'a confié :

— Du temps de mon adolescence, dans mes rêves, je me voyais conduire devant l'autel la meilleure amie de ma mère, qui me fascinait depuis toujours par sa beauté et sa douceur. C'était d'autant plus irréalisable qu'elle était d'une vingtaine d'années mon aînée et que j'avais les jambes et l'un des bras paralysés.

« Puis, cette femme si belle, aquarelliste à ses heures

perdues, est morte. Un soir, alors que je pensais à elle très fort, le désir de dessiner s'est emparé de moi subitement. Le résultat devait m'ébranler, parce que jamais je n'aurais pu imaginer de ma propre initiative, réussir un dessin comme celui que j'avais sous les yeux.

« Quelques jours plus tard, j'ai voulu faire un essai avec la peinture. Là encore, je me suis laissé aller après avoir évoqué le souvenir de ma « Muse », et une œuvre qu'il m'aurait été impossible de concevoir et d'exécuter sans une assistance venue d'ailleurs est née. »

Le parisien **Pierre Vally** est cloué à un fauteuil roulant, lui aussi. Ses tableaux jouxtent les courants fantastiques et surréalistes de la peinture. Il commença à peindre en des circonstances similaires à celles qui furent à l'origine de la carrière de son confrère autrichien :

— Pour que je me décide à prendre les pinceaux, il a fallu qu'une nuit j'aie l'impression d'avoir à mes côtés mon père, mort pendant la dernière guerre. J'étais à l'époque très fatigué et tourmenté par mille préoccupations d'ordre professionnel. Peut-être pour cette raison, pour m'indiquer par quel moyen me changer les idées, l'impulsion de peindre m'a brusquement été donnée...

« J'ai réveillé ma fille. Elle avait gardé son matériel utilisé pour les cours de dessin au lycée, ce qui m'a permis de me mettre au travail.

« C'était exactement comme si j'avais la main entraînée par quelque chose d'invisible, en l'occurrence l'esprit de mon père, qui avait été un peintre du dimanche.

« Les premiers croquis paraissaient satisfaisants. J'ai cru bon de continuer. Dans un état qu'on pourrait qualifier de " second ", je suis parvenu ainsi, au bout de quelques années, à peindre des tableaux jugés valables par les critiques d'art. »

LA MÉDIUMNITÉ
ET LES MUSICIENS

L'exemple de Wolfgang Amadeus Mozart est certainement celui qui conduit à penser qu'un enfant prodige puisse jouir d'une faculté médiumnique consistante.

Et si, la plupart du temps, au fur et à mesure que passent les années, certaines personnes ayant révélé un talent exceptionnel au cours de leur enfance deviennent ni plus ni moins créatifs que la normale, là encore, la médiumnité paraît motiver la chose : on ne surpasse plus les autres parce que la faculté médiumnique jadis si prononcée a perdu de son intensité...

Mozart, s'il avait vécu plus longtemps, aurait-il pu conserver jusqu'au bout son extraordinaire facilité de composer et maintenir ainsi une productivité supérieure à celle de ses confrères ?

Evidemment, nous ne le saurons pas. Rien ne prouve qu'on puisse classer Mozart parmi les médiums musiciens. En revanche, l'un des plus brillants et plus érudits musicologues de notre temps, **Harry Halbreich**, m'a signalé :

— Robert Schumann se passionnait pour le spiritisme. Au cours des cinq années qui ont précédé sa tentative de suicide, suivie par son internement, il le pratiquait régulièrement. Le plus souvent, il s'adressait à l'esprit de Franz Schubert. Et, justement, il disait que le thème de son *Adagio pour Concerto de violon*, composé en février 1854, lui avait été donné par l'esprit de Schubert. En fait, nous retrouvons le même thème dans ses *Variations pour piano* composées une année auparavant. Reste à savoir si ses allégations étaient attribuables à l'aliénation mentale, qui commençait déjà à se dessiner, ou si le spiritisme avait effectivement tenu un rôle dans son œuvre, mais à l'époque de la première apparition du thème musical en question (chose qu'il aurait oubliée).

MÉLODIES EMPRUNTÉES

J'ai demandé à plusieurs compositeurs si au moins l'une de leurs œuvres avait été composée en état de médiumnité. Seul **Gian-Carlo Menotti** m'a répondu affirmativement :

— A la grande fierté de mes parents, j'ai signé ma toute première partition à l'âge de sept ans. C'était en 1918, à Cadegliano, ma ville natale, qui se trouve à proximité de Milan, où j'allais par la suite poursuivre mes études.

« Vous savez, lorsqu'on est obligé de se plier à la discipline d'un enseignement, les aspects purement techniques ont tendance à porter préjudice à tout ce qui est instinctif, naturel ou spontané. Le fait est : plus j'apprenais à maîtriser les notes, moins elles me témoignaient de leur sympathie. Autant il m'avait été un jeu d'enfant, c'est le cas de le dire, de mener à terme une composition pourtant ardue, entre mes septième et dixième année, autant la création se transformait en corvée ou presque à partir de l'instant où je devais rigoureusement veiller à l'observation de règles. Et, justement, ces règles barraient le chemin des mélodies qui affluaient vers moi librement par le passé, comme émises par les instruments, les ensembles instrumentaux ou les chanteurs lyriques dissimulés derrière mes oreilles. Des esprits épris de musique étaient-ils en cause ? Je ne vois pas pourquoi je devrais penser le contraire. Surtout parce qu'il devait m'arriver, dans les années quarante et cinquante, de pouvoir triompher des difficultés en priant l'esprit de Puccini de voler à mon secours. « L'os », sur lequel j'étais tombé en travaillant sur l'un ou l'autre de mes opéras, disparaissait aussitôt ! Je retrouvais l'aisance qui avait été ma compagne fidèle à l'époque de mes premières compositions...

« Et puis la médiumnité est un phénomène dont je n'ai jamais mis en doute l'existence. Mon opéra *Le Médium*, souvent représenté à Paris, Rome, Londres, New York, etc., ne s'appuie d'ailleurs pas sur la fiction. Ses principaux protagonistes sont une mère et sa fille. Elles gagnent leur vie en prétendant pouvoir communiquer avec les esprits. Ce sont des charlatans, elles abusent de la crédulité des gens, mais les clients ne manquent pas...

« En brossant le portrait musical de ces deux femmes, je m'inspirais d'images restées en ma mémoire après les visites faites avec ma mère chez une voyante, du temps de mon adolescence. La maman agissait en collaboration avec sa fillette, qui avait incontestablement le don de la médiumnité. Effectivement, au début, tous ceux qui allaient les consulter étaient à juste titre bouleversés. On entendait la petite prêter sa voix aux morts, et révéler certains détails dont les proches des disparus pouvaient reconnaître l'authenticité. Mais, avec les années, des lacunes se produisirent de plus en plus souvent. Finalement, elles ont dû changer de métier. Seuls quelques exaltés ne se rendaient pas compte du changement intervenu. En un mot, le don n'existait plus. Il était désormais remplacé par des improvisations, et de vagues intuitions...

« Par mon opéra *Le Médium*, j'ai donc voulu signaler qu'il était indispensable que la médiumnité reste pure, sacrée. N'avais-je pas connu l'exemple d'une gamine qui perdait ses facultés médiumniques au fur et à mesure qu'elle obéissait à sa mère, une créature attirée par l'argent plus que par le désir d'apporter réconfort aux personnes en deuil ?... Ce cas précis confirmait que la faculté médiumnique ne doit pas faire l'objet d'une exploitation commerciale. A partir de l'instant où l'on prend l'habitude de se faire payer, le don se désintègre progressivement.

« En somme, ça se passe exactement comme avec les guérisseurs. Nous en avons beaucoup en Italie, dans les campagnes. Les guérisseurs qui se font rémunérer finissent, tôt ou tard, par connaître plus d'échecs que de succès... »

LA MÉDIUMNITÉ
ET LES GUÉRISSEURS

La conclusion tirée par le compositeur Gian-Carlo Menotti nous conduit directement à l'examen du rôle de la médiumnité dans les guérisons attribuées à des hommes ou à des femmes démunis de tout diplôme médical.

Rappelons-le, Allan Kardec disait que cette faculté *appartient à tous les vrais croyants, qu'ils soient médiums ou non ; elle n'est souvent qu'une exaltation de la puissance magnétique fortifiée, en cas de besoin, par le concours de bons Esprits.*

L'impératif d'être un « vrai croyant » constituerait donc une condition indispensable au « concours de bons Esprits ». Sans la foi, sans la conviction de tenir de Dieu le don de pouvoir soulager ou éliminer les souffrances d'autrui, la « puissance magnétique », à elle seule, ne suffirait pas. Mais, le cas échéant, il serait possible de surmultiplier l'efficacité du traitement grâce à la collaboration d'un esprit bienveillant...

Pour ce qui est de l'importance capitale de la ferveur religieuse, il faut d'ailleurs noter que l'avis d'Allan Kardec est partagé par les adeptes de certaines religions dites *nouvelles ou parallèles.* Par exemple, pour ne citer que deux des églises de fondation relativement récente, les Antoinistes et les Scientistes préconisent la guérison par la prière, qui constitue l'une des parties culminantes de leur culte.

LEÇON RETENUE

Au *Centre d'Etudes Spirites Allan Kardec,* de Paris, j'ai pu constater la stricte observation de l'enseignement du Maître. Il n'y avait ni utilisation de « tables tournantes » ni emploi de quelque autre procédé spirite (les membres du groupe se servent de l'écriture automatique, mais à domicile). La séance commençait par la lecture commentée de quelques passages de *l'Evangile selon le Spiritisme,* l'un des ouvrages capitaux d'Allan Kardec. Suivait un débat, au cours duquel les personnes présentes rendaient compte de leurs expériences médiumniques individuelles récentes. Puis, une (émouvante) prière commune à haute voix créait le climat propice à la phase finale de la réunion : les « Anciens », c'est-à-dire les participants les plus avancés dans les travaux kardéciens, soumettaient les autres à des passes magnétiques de la durée de quelques minutes, accomplissant ainsi l'acte curatif typique des guérisseurs magnétiseurs.

Autosuggestion ? Je me sentais vraiment tonifié et serein après avoir quitté le modeste local montmartrois.

AUGUSTIN LESAGE GUÉRISSEUR

Incontestablement digne d'être considéré comme un *vrai croyant,* le mineur puis peintre Augustin Lesage fut l'un de ceux dont l'exemple illustre le bien-fondé de la théorie : la possession d'une faculté médiumnique supérieure à la moyenne prédisposerait l'individu à guérir par imposition de la main (passes magnétiques)... et vice-versa. Son incursion dans le royaume du magnétisme débuta en 1912 * :

* Extraits du texte autobiographique reproduit par Jean-Louis Victor dans son ouvrage *L'Autre Côté de la Vie* (Ed. F.-G. France).

La médiumnité et les guérisseurs

... Le premier malade qui vint me voir était un mineur souffrant d'un tour de reins, sorte de courbature fréquente chez les travailleurs du sous-sol, contraints de travailler souvent dans des positions fort incommodes.

Invoquant mes guides, je posai donc les mains sur l'endroit douloureux et quelle ne fut ma surprise d'entendre dire à ce brave homme qu'il ne sentait plus rien ! Et le « miraculé », entré courbé en deux, ressortit en gambadant allégrement, pour bien marquer qu'il n'avait plus la moindre trace de douleur !

Alors, avec Lecomte, je me suis mis à soigner des malades, le soir, en rentrant de la mine. J'ai été bien étonné quand j'ai vu que des gens atteints de toutes sortes de maladies se sont dits guéris.

On en a parlé dans les environs. Il est venu des malades de tous côtés. Nous en trouvions jusqu'à cinquante, le soir, en rentrant du travail. Nous n'avions plus le temps de nous laver, il fallait soigner.

Un jour, MM. Pillaut et Béziat, guérisseurs de l'Institut de Sin-le-Noble, sont venus nous voir soigner. Ils ont regardé mes peintures et m'ont dit : « C'est un merveilleux don de peindre que vous avez. Pourquoi ne viendriez-vous pas soigner à l'Institut de Béthune ? On vous donnerait ce que vous gagnez à la mine et vous auriez le temps de peindre.

Lecomte et moi, nous avons accepté. Nous nous sommes installés à Béthune... Lecomte s'occupait avec moi des malades ; il les dégageait par de longues passes magnétiques et j'achevais le travail par une imposition des mains. Au début, j'avais encore le temps de prendre mes pinceaux, entre deux malades. Mais, bientôt, ce fut une nuée de pauvres gens, jusqu'à deux cents par jour, qui sollicitaient nos soins !...

Tant va la cruche à l'eau, qu'à la fin elle se casse. Médecins et pharmaciens s'émurent bientôt... Et leur syndicat nous intenta un procès pour exercice illégal de la médecine !...

Au juge qui instruisait le procès, je prophétisai :

« Aujourd'hui, vous nous accusez, vous nous ridiculisez, bientôt vous aussi, vous viendrez vous faire soigner. » (Ce qui effectivement eut lieu quelques mois plus tard.)

Le jour du jugement, le 14 février 1914... Trente témoins — on n'en avait pas permis davantage — vinrent attester que, complètement abandonnés par leurs médecins, ils avaient été par nos soins absolument guéris...

Longuement applaudis par le public enthousiasmé, nous fûmes acquittés sans frais ni dépens, je serais presque tenté de dire, avec les félicitations du jury, tellement l'atmosphère de l'audience était extraordinaire.

Tacitement autorisés à poursuivre notre « médecine illégale », nous avons soigné encore plusieurs milliers de malades, jusqu'à la guerre. »

De nos jours, toujours dans le Nord, mais près d'Arras (à Achicourt) les malades défilent dans le cabinet d'un magnétiseur d'origine toulousaine qui s'appelle **Marcel Gleyses.** Tout comme Augustin Lesage, il a été traîné en justice pour *exercice illégal de la médecine*, et même à plusieurs reprises. Chaque fois, on devait l'acquitter, comme son illustre prédécesseur (témoignages unanimes quant à l'efficacité des soins) et, lui aussi, a connu l'honneur, après l'un de ses triomphes dans l'enceinte d'un tribunal, de traiter par magnétisme le magistrat chargé de juger son affaire !

Il est cependant des différences fondamentales entre l'ancien mineur et l'ancien berger. Ce dernier ne soigne pas bénévolement, et n'a jamais été invité par des voix occultes à peindre ni à faire quoi que ce soit d'autre. En revanche, depuis quelques années, le succès de ses traitements s'expliquerait, du moins en partie, par les communications qu'obtient sa femme, (Régine Defransures, de son nom de jeune fille), prédestinée, grâce à ses facultés médiumniques, à devenir, comme elle va le raconter ci-après, une...

INTERMÉDIAIRE ENTRE LE GUÉRISSEUR ET LES ESPRITS

« — Déjà petite, je pouvais deviner parfois ce qu'étaient en train de faire mon père, ma mère ou d'autres personnes de ma famille qui, pourtant, à ces moments-là se trouvaient loin de moi. J'ai appris, plus tard, que ça s'appelait de la *télépathie*.

« Il m'arrivait aussi de prendre connaissance du contenu d'une lettre dès l'instant où je l'avais sous les yeux, autrement dit sans besoin d'ouvrir l'enveloppe.

« Vers ma seizième année, la mère de l'une de mes camarades m'a dit :

— Tu as une faculté peu commune, ce serait dommage de ne pas en profiter. Pourquoi n'essayes-tu pas de tirer les cartes ? Je suis sûre que tu pourrais nous révéler ce qui nous attend...

Elle a vu juste. Je parvenais, avec les cartes, à prédire les mariages, les ruptures, les naissances, les décès, les voyages, etc. de façon totalement inattendue.

De là à tester mes capacités médiumniques il n'y avait qu'un pas...

« Après l'échec de mon premier mariage, j'en ai eu l'occasion. Le divorce avait été très pénible et le malheur affluait de tous côtés. Ce qui m'accablait le plus, mon fils souffrait d'une maladie grave, pratiquement incurable. Voilà pourquoi j'ai décidé d'expérimenter l'écriture automatique. J'avais besoin d'encouragement, de conseils...

« L'esprit de mon grand-père m'a répondu immédiatement. Il m'a annoncé la guérison prochaine de mon fils, mais pas du fait d'un médecin. Le message écrit par ma main sous son impulsion m'a également rassurée quant à l'évolution de ma vie nouvelle dans son ensemble.

« Effectivement, mon fils allait retrouver sa bonne santé, pour ainsi dire miraculeusement. Et, devenant la

187

femme du magnétiseur qui l'avait sauvé, je pouvais entamer la partie la plus radieuse de mon existence...

« Au cours des premières années de notre vie commune, ma tentation fut grande d'aider Marcel par le spiritisme dans son travail. Mais je n'étais pas encore prête. L'écriture automatique continuait, pour autant, à réussir. Je faisais part des communications qu'adressaient aux amis et à certains des patients de mon mari les esprits de leurs proches. Et, ce qui était surtout étrange, bien souvent, la flamme de la bougie qui éclairait la pièce quand j'écrivais, s'allongeait subitement, pour atteindre la hauteur de trente centimètres environ, toutes les fois qu'un esprit prenait la relève de celui qui m'avait contactée le premier.

« De cette époque, je garde aussi le souvenir d'un " affront ". J'ai avisé par téléphone l'une de nos amies : l'esprit de son mari venait de me charger de la transmission d'un message... A peine ai-je commencé à le lui lire qu'elle m'a interrompue, en disant :

— Inutile de continuer, ce message je le connais déjà par cœur. Tu es le troisième médium à qui l'esprit de Paul l'a dicté ces jours-ci...

« Puis, il y a six ans, j'ai réalisé qu'il n'était plus indispensable de m'isoler dans la pénombre et de prendre un stylo. Je peux me trouver au milieu de gens, dans la rue ou ailleurs, mais aussi chez moi, en plein jour ou la nuit pour *entendre* des communications...

« Je le sais, la chose peut paraître ridicule, inimaginable, prétentieuse ou même sacrilège, mais l'une des voix que je croyais et que je continue à croire entendre est ni plus ni moins que celle du... Maître !

« Oui, Allan Kardec se manifeste à moi. Ou, du moins, un esprit qui prétend être le sien. C'est en général pour parler de tel ou tel malade traité par mon mari. Et ce n'est jamais une plaisanterie. Les indications qui sont données peuvent sembler parfois erronées, il s'avère toujours qu'elles ne l'étaient pas. La cause profonde d'une maladie, le traitement le plus approprié pour guérir rapidement quelqu'un, tout ce qui m'est révélé montre la confiance que nous pouvons accorder à des intelligences qui ont des choses de la santé une vision non délimitée par les seules connaissances terrestres... »

*
**

Les rôles sont inversés chez **Maguy et Daniel Lebrun.** Ici, le médium est le mari, tandis que la maladie est combattue grâce au *fluide magnétique* de la femme (ancienne infirmière) qu'on pourrait surnommer...

L'OUTIL DES MÉDECINS DE L'ESPACE

En juin 1991, une maison de production parisienne[*] commence la diffusion de trois vidéocassettes, signées par la réalisatrice Kheira Benoudah, et consacrées à « l'étonnante aventure spirituelle » du couple dont les activités ont souvent été évoquées par la presse écrite et parlée, ainsi que par des émissions télévisées.

Des scientifiques de l'Université de Grenoble et divers médecins ont étudié de près le cas. Leurs conclusions tendaient à faire valoir l'éventualité du concours de l'*inconscient collectif* ou d'autres facteurs semblables. Mais l'on ignore comment l'ancien expert comptable Daniel Lebrun pouvait diagnostiquer les maladies et définir la nature des soins qui s'imposaient, alors que la réalité des guérisons obtenues ne laissait pas de doute...

Laissons donc la parole à Maguy Lebrun :

— Au début, mon mari captait en rêve la voix d'entités désincarnées soucieuses d'aider ceux qui souffrent. Mais bientôt il reçut des messages en tant que *médium par incorporation*. Grâce à la prière et à la méditation, il se plongeait dans une sorte d'état second. Ayant ainsi réussi à créer le vide — « Chaque fois, j'ai l'impression de

[*] Kéra Média Films (58, rue de Bercy, 75012 Paris).

mourir », me disait-il —, ceux que nous nommons les *médecins de l'espace* pouvaient élire domicile en lui pour quelques minutes, afin de préciser comment je devais m'y prendre en présence d'un homme, d'une femme ou d'un enfant victimes de la maladie. Lui n'était jamais conscient de la teneur des messages que je pouvais entendre clairement, même si parfois sa voix paraissait légèrement déformée.

« Cette ressource, que la volonté divine nous a donnée pour que nous puissions faire le bien autour de nous, devait nous permettre de soigner un nombre énorme de personnes et nous avons l'intention de demeurer les modestes instruments de Dieu et des esprits, en poursuivant notre mission, tant que nous en avons les forces. Nous avançons dans l'âge, c'est vrai, mais nous avons la chance d'avoir à nos côtés des jeunes qui nous assistent et qui seront qualifiés pour nous succéder quand nous ne serons plus là.

« Le plus fréquemment, l'esprit qui nous dirige est celui d'Etty, Odette Malossane de son vrai nom. Elle était infirmière chef et faisait partie de la Résistance, dans le Vercors. Déportée, elle devait mourir dans un camp disciplinaire...

« Ses conseils, tout comme ceux des esprits d'autres personnes spécialisées dans la lutte contre la maladie — par exemple celui du docteur Hahnemann, le père de l'homéopathie — expliquent pourquoi des gens qui avaient perdu espoir peuvent se retrouver en pleine possession de toutes leurs capacités, tantôt presque du jour au lendemain, tantôt progressivement. Mon mari et moi, je le répète, ne sommes que de simples instruments et le resterons jusqu'à la fin de nos jours. Les succès qui nous sont attribués ne nous autorisent pas à nous considérer comme des « sommités dans l'art de guérir ».

« Il faut cependant reconnaître que nous ne sommes pas toujours capables de triompher de la maladie. Il nous reste, alors, à secourir les incurables en les préparant, par nos paroles et par des soins dévoués, à accepter la mort.

Nous leur enseignons qu'elle n'est, en réalité, que la porte derrière laquelle nous attend une autre forme de vie. Il nous a été possible, ainsi, de faciliter le passage de certains malades, âgés ou non. »

LA MÉDIUMNITÉ
ET SES « VEDETTES »

Les premières *stars* de la médiumnité sont les *Sœurs Fox*, évidemment. Elles donnent des démonstrations publiques de leurs facultés exceptionnelles dans toutes les grandes villes des Etats-Unis, puis en Europe, préparant ainsi involontairement le terrain aux tournées nationales ou internationales d'autres médiums américains de la première heure, qui seront accueillis par le public, eux aussi, avec autant d'enthousiasme qu'au siècle suivant les plus populaires groupes rock !

Souvent, un tel « exhibitionnisme médiumnique » a pour revers de médaille que l'opinion publique tende à assimiler le spiritisme à la magie de foire, mais l'intérêt général manifesté à l'égard des phénomènes provoqués sur scène possède quand même l'avantage de multiplier le nombre des associations ou comités fondés pour les étudier. Et, très rapidement, les diverses vérifications scientifiques démasquent les tromperies de personnes qui accomplissent des performances truquées, mais concluent d'autre part à la nature génuine des manifestations spectaculaires que provoquent les médiums exceptionnellement puissants. Voilà comment s'inscrivent dans les annales de la médiumnité les noms de ceux que nous allons évoquer.

192

NETTIE COLBURN

En 1862, l'épouse du Président Lincoln compte parmi les dames de la haute société *yankee* qui s'intéressent à la médiumnité. Elle assiste à une séance donnée par une jeune médium de passage à Washington, et considérée comme l'une des devineresses les plus prometteuses du pays. Les éloges faits à son sujet paraissent justifiés, elle l'invite donc à la Maison-Blanche...

Mise en présence du Président Lincoln, Nettie Colburn ne tarde pas à se laisser glisser en état médiumnique. Pendant environ une heure, complètement dépouillée de sa timidité et, d'une voix qui semble masculine, la jeune fille parle avec la plus grande assurance des problèmes politiques qui préoccupent l'homme d'Etat, abordant surtout celui de l'abolition de l'esclavage, pour dire en substance :

— On exerce sur vous une pression profonde, pour vous dissuader de la proclamation prochaine de l'émancipation des esclaves noirs, mais vous devez résister à toute intimidation. Dieu veut que vous n'écoutiez pas les arguments de vos conseillers qui estiment qu'une telle mesure est actuellement inopportune. En passant aux actes sans plus hésiter, vous allez activer la défaite des Sudistes, la guerre civile pourra rapidement prendre fin et vous sauverez la vie de dizaines de milliers de soldats, tout en permettant à des centaines de milliers d'hommes et de femmes de couleur d'atteindre une dignité qui les fera mieux contribuer à l'essor de notre patrie...

Abraham Lincoln se montre fortement impressionné et suivra le conseil.

« Il s'agissait, là, de l'un des moments les plus importants de l'histoire du spiritualisme (spiritisme) et, peut-être, aussi de l'histoire des Etats-Unis », écrira Sir Conan Doyle *.

* *The History of Spiritualism* (Psychic Press Ltd. Londres).

LES FRÈRES DAVENPORT

Tout comme les sœurs Fox, Ira Erastus et William Henry Davenport révèlent dès leur enfance des dons médiumniques peu communs. Faire tourner les tables, léviter, obtenir des messages par l'écriture automatique ne constituent pour eux que les premières étapes. En 1857, alors qu'ils sont âgés respectivement de dix-huit et seize ans, ils laissent perplexes les professeurs de l'Université de Harvard (U.S.A.) en provoquant des phénomènes tels que l'apparition d'une « main fantôme », le déplacement d'objets, etc., alors même qu'une corde solide les empêche de faire le moindre mouvement. Ces résultats stupéfiants se maintiennent au cours des années qui suivent, que ce soit devant des centaines de spectateurs, ou sous le regard des membres d'une commission scientifique.

Puis, après avoir obtenu une « consécration » dans leur pays natal, les frères Davenport débarquent à Londres en 1864. Dans les salons de l'aristocratie, et sur scène, ils sont frénétiquement applaudis après avoir contribué, par leur extraordinaire *potentiel médiumnique*, à la matérialisation de mains ou même de corps entiers à apparence humaine toujours bel et bien visibles mais le plus souvent impalpables, et ceci au son d'airs joués par divers instruments musicaux nullement touchés par eux ! Suit une tournée à travers l'Angleterre. Parfois, spécialement à Liverpool, des fanatiques perturbent leurs démonstrations publiques et vont jusqu'à les malmener. Ce qui les décide à venir en France, en 1865.

Au Palais de Saint-Cloud, Napoléon III et l'impératrice Eugénie sont enthousiasmés par le « spectacle unique dans son genre » des deux jeunes Américains. Le succès à la Cour impériale fait affluer les gens dans les salles parisiennes où ils se produisent. Le célèbre illusionniste Robert Houdin est invité à découvrir s'ils n'utilisent pas de subterfuges, mais sera obligé d'admettre que les phénomènes provoqués sont *inexplicables*...

De nouveau à Londres, en 1866, les Davenport se rendent à Dublin. Leur séjour en Irlande suscite le plus grand intérêt du public et de la presse. La même année, ils visitent Hambourg, Berlin (où les membres de la famille royale tiennent à les rencontrer), puis font une tournée triomphale en Belgique, avant de gagner la Russie. Le 7 janvier 1867, mille spectateurs les applaudissent à Saint-Petersbourg et, le surlendemain, ils familiarisent avec la médiumnité le Tzar et ses proches, au cours d'une séance privée au Palais d'Hiver.

La Suède et la Pologne les accueillent, à leur tour, avant d'autres démonstrations publiques mémorables londoniennes, qui précéderont leur départ pour l'Australie, en 1876...

Agé seulement de trente-six ans, le cadet de ceux qu'on considère comme les plus éminents ambassadeurs américains de la médiumnité meurt à Sydney, en 1877. Son frère le rejoindra en 1911.

LES FRÈRES EDDY

Leur grand-mère maternelle était l'une des malheureuses dotées de capacités médiumniques qu'on avait brûlées vives à Salem, en 1692...

Un tel antécédent explique sans doute la réaction brutale du cultivateur Eddy, quand il s'aperçoit que ses deux fils ont hérité de la « sorcière » la capacité de voir, d'entendre et de pouvoir faire des choses que la religion condamne. Il les fouette sauvagement, les arrose d'eau bouillante et les torture avec du charbon ardent, chaque fois qu'ils entrent en transe ! Un tel traitement laisse dans leur chair des traces indélébiles, mais les phénomènes « diaboliques » continuent à se manifester et, finalement, le bourreau se résoud à en tirer profit. Sa ferme du Vermont (U.S.A.) se transforme en lieu scénique, ou les voisins, puis également des curieux venus de loin, peuvent assister aux prodiges que déclenchent les petits

Horatio et William, et ceci tout en étant cruellement ligotés au point d'en saigner...

En 1874, un éminent journaliste new-yorkais, connu pour son objectivité, le colonel H. S. Olcott, passe dix semaines chez les Eddy, afin de vérifier l'exactitude des événements extraordinaires dont il a entendu parler. Après avoir pris les précautions d'usage destinées à éliminer les possibilités de fraude, il assiste à des scènes parmi les plus prestigieuses que la médiumnité ait jamais produites. L'ectoplasme dégagé par William Eddy se transforme progressivement en hommes, femmes et enfants de tous âges et de toutes races. Au lieu d'être plus ou moins *transparents,* comme la plupart des apparitions similaires constatées dans le passé, ceux-ci ont une consistance *quasiment charnelle* (confirmée par leur poids, contrôlé à l'aide d'une balance) et, parfois... parlent ! Ce sont les esprits *matérialisés* de parents ou d'amis décédés des personnes présentes, ou des individus qui n'ont jamais été connues par elles : guerriers peaux-rouges et leurs épouses, avec ou sans bébé dans les bras, messieurs et dames de la bonne société américaine du début du xixᵉ siècle et même un guerrier kurde brandissant sa lance de presque deux mètres de long !...

L'enquête du colonel H. S. Olcott, publiée par le *New York Daily Graphic,* en novembre 1874, signale aussi des résultats optimaux à travers toutes les autres branches de la médiumnité (ils sont, en même temps, des médiums peintres, polyglottes, guérisseurs, écrivains, à effets musicaux, prophétiques, typteurs, etc.). Il est précisé néanmoins que seul William Eddy réussit à « faire revivre les morts complètement », pour quelques minutes ; son frère Horatio n'arrive pas à produire autant d'ectoplasmes que lui et peut laisser apparaître uniquement des mains...

DANIEL DUNGLAS HOME

Celui qu'on pourrait surnommer le « médium des empereurs et des rois » voit le jour en 1833, dans un village proche d'Edinburgh. Ses parents émigrent aux Etats-Unis sans lui et il grandit auprès de sa tante. Vers sa treizième année, ses facultés médiumniques se déclarent, et seront confirmées lorsqu'il lui sera possible de prendre connaissance instantanément de la mort de son meilleur ami, puis de sa mère, décédés l'un à quelques centaines, l'autre à des milliers de kilomètres du lieu où il réside.

Chassé par sa bigotte de tante, qui le croit de connivence avec le diable, l'adolescent est hébergé à tour de rôle par les parents de plusieurs de ses amis. Il conduit des séances de spiritisme au domicile de ses bienfaiteurs et fait ses premiers pas dans le domaine de la guérison médiumnique. Très rapidement, il devient assez connu et sa bonne réputation le précède aux Etats-Unis : lorsqu'il arrive à New York, des illustres poètes, professeurs universitaires, magistrats, etc. l'invitent à organiser des séances chez eux.

De retour en Angleterre en 1855 le jeune Home est sollicité par de nombreuses personnalités de la vie culturelle et artistique, tout comme par certaines « têtes d'affiche » de l'aristocratie. Il en ira de même, ultérieurement, en France, en Italie, en Allemagne, en Russie... Reçu aussi bien par Napoléon III que par le tsar Alexandre, l'empereur Guillaume Ier de Prusse ou encore par les monarques de la Bavière et du Wurtemberg, il est encouragé par les témoignages de leurs respect et sympathie à des moments où, dans son pays natal, les milieux scientifiques et religieux manifestent à son égard une hostilité assez virulente.

Sa santé précaire n'empêche pas Home de se distinguer de plus en plus comme guérisseur, mais sa célébrité naît surtout à l'issue des séances qui lui permettent de prouver son don à travers le phénomène de la lévitation. Sa grande « spécialité » est en effet de se soulever dans les airs et de se déplacer ainsi sur un trajet de plusieurs mètres ou de faire voler des meubles très lourds, comme par exemple un piano. Parallèlement, il fait part aux aristocrates qui l'accueillent des conseils et des prédictions que sa faculté de clairvoyance lui permet de formuler...

Il est désigné par le célèbre professeur Crookes comme dépositaire de capacités scientifiquement encore inexplicables mais indubitablement authentiques, et ceci à l'issue d'une série de tests effectués en laboratoire. Home ne parvient pas, malgré cela, à faire taire ceux qui l'accusent de supercherie (le plus souvent sans avoir assisté à ses expériences). Lui, qui a toujours fait preuve d'idéalisme, de désintéressement et d'intégrité tout au long de sa carrière*, est noirci, de surcroît, par le scandale que soulève son impossibilité à rembourser une riche veuve. La somme qu'elle lui avait versée, de son propre gré et en bonne et due forme, à titre de donation, a été consacrée presque entièrement à des œuvres de bienfaisance... Ebranlé par tant d'injustice, mais aussi parce que ses séances l'épuisent, il succombe à une phtisie galopante le 21 juin 1886, à l'âge de cinquante-trois ans, au cours du dernier de ses séjours parisiens. On l'enterre au cimetière de Saint-Germain-en-Laye.

MRS HOPE ALIAS MME ESPÉRANCE

Son enfance est marquée par ceci : ses compagnons de jeux sont les « esprits d'enfants morts beaucoup trop tôt ». Son adolescence révèle une aptitude de clairvoyance et celle propre aux médiums polyglottes. Puis, l'Anglaise née en 1849 qui se fera connaître sous le pseudonyme de Mme Espérance, confirme devant un public de plus en plus large sa faculté de pouvoir produire suffisamment d'ectoplasme pour contribuer à ce que des esprits « prennent corps ». En sa présence, se

---

* En 1857, par exemple, lorsqu'on lui propose deux mille livres sterling pour tenir une séance publique de spiritisme à Paris, Home décline l'offre, en disant : « *Je suis là pour accomplir une mission, qui consiste à prouver l'immortalité de l'âme. Je n'ai jamais accepté ni n'accepterai d'argent en contrepartie...* »

blottissent contre leur mère des enfants morts depuis des mois ou des années. Les fantômes pareillement *consistants* de jeunes filles ravissantes, se présentent également devant l'assistance, et se prêtent docilement à ce qu'on exécute des moulages de leurs mains et de leurs pieds.

Soumise à des tests concluants en Angleterre comme en Russie, Mme Espérance intriguera longtemps les savants entre autre par son pouvoir de faire surgir du néant des roses ou des lys, qui ont toutes les apparences de fleurs réelles, mais *disparaissent complètement* au bout de quelques jours ou semaines, tout en étant conservés sous des globes scellés !

KATE KING À TRAVERS FLORENCE COOK

Le nom de Florence Cook compte également dans l'histoire du spiritisme. En cette fin du XIXᵉ siècle, elle deviendra un autre « cobaye » du professeur Crookes. Les comptes rendus seront publiés au fur et à mesure du déroulement des expérimentations.

En état de transe médiumnique, Florence est à même de provoquer la matérialisation d'un esprit qui dit s'appeler Katie King, et dont l'illustre chercheur britannique parvient à fixer sur pellicule l'image à quarante-quatre reprises, en 1874.

Plusieurs de ces photographies seront reproduites dans l'ouvrage *Le Spiritisme**, du docteur Paul Gibier, accompagnant de larges extraits, traduits en français, des textes du professeur Crookes. Ceux-ci relatent les paroles et les gestes d'un *fantôme palpable,* qu'il a pu observer de près en des conditions qui excluaient toute éventualité de mystification.

* Henri Durville, éditeur.

EUSAPIA PALADINO

Sa mère meurt en la mettant au monde, le 21 janvier 1854. Huit ans plus tard, son père est tué par des *briganti*, en sa présence. Alors placée sous la tutelle de sa grand-mère, Eusapia subit sa vindicte, comme avant elle les frères Eddy avec leur père.

Puis, la jeune fille originaire des Abruzzes trouve refuge à Naples, chez les Migaldi, qui l'engagent comme domestique. A cette époque, le spiritisme est déjà à la mode dans les salons de la bourgeoisie italienne. Un soir, Eusapia est invitée à participer à la séance qu'organisent ses employeurs. La table utilisée devient aussitôt bien plus active que d'habitude. Par la suite, ses dons médiumniques se traduisent par l'apparition d'un personnage fantomatique, qui puise visiblement sa substance dans l'énergie de la servante.

Quelques années plus tard, Eusapia Paladino affronte le grand public. On parle d'elle tant et si bien qu'en 1891 l'une des sommités de la science médicale, le docteur Lombroso, la convie dans son laboratoire de Turin, pour la soumettre à une batterie de tests. Et lui, le sceptique, finit par user de toute son autorité scientifique pour soutenir la réalité des lévitations, matérialisations, etc. constatés! Au cours de la même année, une commission spéciale réunie à Naples, sous la présidence d'un professeur de la Faculté de Médecine, confirmera l'impossibilité d'une supercherie.

De même que les autres médiums de niveau exceptionnel, la Paladino se fait applaudir un peu partout, mais se plie aussi aux exigences des savants qui continuent à vouloir localiser la source exacte de ses facultés, et lui imposent des expériences singulièrement pénibles... en échange d'une rémunération fort symbolique.

A la fin du XIXe siècle, puis entre 1905 et 1908, l'Italienne, qui rivalise en efficacité avec les meilleurs médiums américains et anglais, est « regardée à la loupe » par une pléiade de scientifique français, dont

La médiumnité et ses « vedettes »

Pierre et Marie Curie, Henri Bergson, le professeur Richet, Camille Flammarion, Paul Langevin, Edouard Branly, le colonel de Rochas... Le souvenir de quelques irrégularités, découvertes lors d'un essai effectué à Cambridge en 1895 peut alors s'effacer, grâce à des témoignages irréfutables, qui confirment la portée hors du commun de sa médiumnité. « Blanchie » de la sorte à Paris, elle peut accomplir une tournée triomphale en Amérique, avant de retourner dans son pays natal, où la mort la surprendra en 1918.

HENRY SLADE

Le futur « plus digne successeur de D. D. Home » naît en 1836. A l'école, il est souvent puni, parce qu'on pense qu'il provoque des bruits avec ses pieds pendant les cours. Les coups sourds et les craquements spontanés qui s'échappent des meubles en bois constituent les premiers indices de son incroyable puissance...

Dès 1860, c'est-à-dire à partir de sa vingt-quatrième année, Henry Slade obtient le rare phénomène de *l'écriture directe* : qu'il la touche ou non, une ardoise placée plus ou moins près de lui se recouvre de messages écrits par des « mains invisibles ».

Encouragé par ses résultats et par ses succès publics, Slade se résout à suivre l'exemple de la plupart des autres médiums américains de premier plan : il se rend à Londres en 1876, puis aux Pays-Bas, au Danemark, en Russie et en Allemagne. Là, justement, il surprend le professeur Zöllner, ainsi que les autres physiciens qui le testent à Leipzig, par des textes écrits en vieux allemand apparus sur les ardoises utilisées pour les expériences (il ne parle pas cette langue).

En Angleterre et ailleurs, tous les scientifiques habitués à contrôler les médiums de passage sont unanimes et signalent ce qu'ils considèrent comme la singularité de Slade : alors que ses confrères ou consœurs ont une *productivité variable* et, le plus souvent, exigent la pénombre, il se révèle, lui, en *état opérationnel optimal* du début à la fin de la séance, même en plein jour, et parvient à provoquer la matérialisation de mains, chose qui, normalement, se constate uniquement par éclairage tamisé. En outre, il est capable d'obtenir sans la moindre difficulté, plusieurs phénomènes médiumniques en même temps notamment le déplacement et la lévitation d'objets ou de meubles plus ou moins lourds, le jeu d'instruments de musique sans intervention, l'écriture directe et la matérialisation partielle d'entités désincarnées. (Au cours d'un séjour en Australie, plus précisément à Ballarat, Slade réussit, d'après un témoignage en principe fiable, à provoquer exceptionnellement la matérialisation du corps entier d'une jeune femme.)

Mais la santé de Slade laisse beaucoup à désirer. Voilà pourquoi, au cours d'un séjour parisien en 1886, il se fait soigner par le docteur Paul Gibier, à un moment où les séquelles d'une attaque d'apoplexie n'ont pas encore disparues. Très intéressé par la médiumnité, l'ancien interne des Hôpitaux de Paris (qui est, aussi aide naturaliste au Musée d'Histoire Naturelle) saisit l'occasion pour le soumettre à une série d'expériences. Son ouvrage déjà cité (*Le Spiritisme*, éd. Henri Durville) offre la description détaillée de certaines de ces séances, ainsi que le compte-rendu de leur ensemble, tout comme la reproduction photographique de trois des nombreuses ardoises sur lesquelles des messages à écriture différente, rédigés en anglais, allemand, grec et français sont lisibles.

Slade passe la dernière partie de sa vie en Amérique. Il meurt en 1905, dans un établissement hospitalier de l'Etat de Michigan.

Bien d'autres médiums américains ou européens se sont rendus célèbres entre 1848 et la première décennie de notre siècle. A de très rares exceptions près, tous ont connu le même sort : enfance et adolescence marquées par des traumatismes psychiques et physiques infligés par l'entourage familial / débuts dans la carrière envenimés à cause de la brutalité des vérifications scientifiques ou prétendues telles / gloire plus ou moins éphémère / mort prématurée, due à l'épuisement provoqué par les efforts déployés pour obtenir les phénomènes spectaculaires (spécialement dans les cas où l'activité était concentrée sur les matérialisations).

Après la Grande Guerre et jusqu'à nos jours, aucun des médiums puissants n'a réussi (ou voulu) se faire connaître sur un plan international. Vers les années vingt et trente **Hanussen,** qui entrait dans la catégorie des *médiums prophétiques* bénéficiait d'une grande popularité dans les pays germaniques. Il a été assassiné par les nazis, et il a fallu un film, inspiré des chapitres majeurs de sa vie, pour que son histoire soit connue ailleurs qu'en Allemagne et en Autriche*.

C'est surtout les matérialisations qui ne semblent plus être à la portée des médiums actuels. On a l'impression que stress et pollution, fléaux aujourd'hui omniprésents, inhibent les facultés singulières qui jadis contribuaient à la formation des substances se transformant progressivement en mains (pouvant faire l'objet d'un moulage) ou même en « corps entiers » (susceptibles d'être photographiés). A moins que les appareils de contrôle sophistiqués dont disposent désormais les chercheurs soient en cause : feraient-ils battre en retraite les fantômes, par dépit ?... Quoi qu'il en soit, les dernières expériences mémorables faites en France dans ce domaine remontent à 1920 : comme le rappelle *La Revue Spirite***, le médium Eva Carrère « sculpta » avec un ectoplasme le visage d'un homme moustachu, en présence du secrétaire général du Journal Psychica, du Dr Jaworski, neurologue, de l'ingénieur chimiste Warcollier et de Madame Bisson, qui dirigeait la séance et avait à son actif vingt années d'études et de pratique des phénomènes de ce genre, souvent en collaboration avec le docteur Geley ou le professeur allemand von Schrenck-Notzing.

* *Hanussen*, réalisation de I. Szabo.
** 2ᵉ trimestre 1991, nᵒ 7.

En Amérique, vers le milieu des années vingt, *Edgar Cayce* (dont l'œuvre allait être révélée au public francophone par les livres de Dorothée Koechlin de Bizemont), émergeait, mais il est à noter que ses guérisons et prophéties n'étaient jamais obtenues en transe médiumnique au sens classique, mais par induction en état hypnotique...

Aujourd'hui, orientaux ou pas, de nombreuses personnes se font appeler gourous, guides spirituels, etc. et prétendent posséder des dons médiumniques; ils se déplacent en avion privé et sont à la tête de fortunes, grâce à la crédulité de leurs contemporains. *N'OUBLIONS DONC PAS LES EXTRAORDINAIRES MÉDIUMS DU SIÈCLE DERNIER, QUI SUBISSAIENT MILLE SOUFFRANCES ET HUMILIATIONS, DEGRADAIENT LEUR SANTÉ ET LE PLUS SOUVENT AGISSAIENT BÉNÉVOLEMENT DANS LE SEUL BUT D'ACCOMPLIR LEUR MISSION : PROUVER LA RÉALITÉ DES ESPRITS PAR DES MOYENS QUI SUSCITENT L'ÉMERVEILLEMENT!...*

LA MÉDIUMNITÉ
ET LE CHAMANISME CORÉEN

Le film *Rashomon* nous montre un médium « par incorporation », dans le Japon féodal, qui laisse s'exprimer l'esprit de la victime d'un meurtre, pour raconter sa propre version des faits...

Aujourd'hui encore, de par le monde, la police fait appel à des médiums, spécialement aux Etats-Unis, et surtout pour localiser des personnes disparues. Mais c'est en Corée que leur consultation en toutes occasions (donc même sans crime ou disparition) continue à faire partie du quotidien. Comme dans les pays occidentaux, où certains consultent régulièrement un voyant, les Coréens se tournent vers des hommes ou des femmes ayant la tâche singulière de *faire parler* l'esprit d'un tel ou d'un tel. Au pays du « Matin calme », des termes comme *spiritisme* ou *médiumnité* sont généralement ignorés ; on persiste à les désigner comme jadis, par une appellation dont l'équivalent français est *chamane*.

Chercheur au C.N.R.S. et chargé de cours à l'Ecole Pratique de Hautes Etudes, ainsi qu'à l'Université Paris 7, **Alexandre Guillemoz** étudia sur place pendant plusieurs années le chamanisme coréen actuel, et c'est avec son très aimable autorisation que je reproduis certains extraits de ses nombreux exposés sur le sujet...

Guide du spiritisme

UNE PRATIQUE POPULAIRE

Le chamanisme est au sens originel un phénomène socio-religieux caractéristique des petites sociétés de chasseurs, notamment sibériens. Le chamane exécute une transe à l'aide de son tambour au cours d'une séance où il communique avec les esprits.

En Corée, le chamanisme a suivi les transformations des peuples venus se fixer dans la péninsule : les chasseurs et les éleveurs se sont progressivement sédentarisés au contact de populations pratiquant l'agriculture. Il a dû s'adapter à une mentalité de riziculteurs et subir des idéologies fondées sur les livres : le bouddhisme, puis le néo-confucianisme dominèrent successivement l'Etat, du ve au xxe siècle. Cependant, le chamanisme est resté un phénomène de petits groupes (deux mille personnes au maximum) : un village de pêcheurs ou d'agriculteurs demande à un chamane de faire une séance pour le bien de la communauté, pour l'abondance des récoltes, pour l'âme d'un noyé...

Un chamane coréen a pour clientèle soit ceux qui habitent le territoire où lui seul a le droit d'exercer (monde rural), soit ceux qui sont attirés par sa renommée (monde urbain).

CHIFFRES IMPRESSIONNANTS

En 1980, le Ministère de la Culture et de l'Information de la République de Corée faisait état de 31 740 pasteurs appartenant à différentes Eglises protestantes, de 22 260 moines bouddhistes et de 4 529 prêtres catholiques, pour ne citer que les trois groupes religieux les plus importants.

Ces chiffres rendent mieux compte de l'importance de chaque groupe religieux que le nombre d'adhérents (12 000 000 de bouddhistes, 7 000 000 de protestants,

1 300 000 de catholiques), qui est toujours supérieur aux pratiquants.

Aucune statistique ne tient compte de ce que Charles Haguenauer appelait la religion populaire nationale, *qu'il est plus courant de désigner sous le terme de chamanisme. Cependant, la plus importante des associations de chamanes et de devins déclarait regrouper 41 481 membres en 1984 — soit un pour mille Coréens environ —, nombre comparable aux 50 000 voyants, astrologues, exorcistes, marabouts recensés en France par le fisc. Cette association n'est pas un groupe religieux, mais un syndicat professionnel chargé de défendre les syndiqués contre les autorités, qui tentent de supprimer les « superstitions » et donc d'empêcher les chamanes de faire leurs séances. Elle est présidée par un ancien général, son nom (Association Coréenne pour le Respect des Croyances et pour la Victoire sur le Communisme) vise à lui assurer la bienveillance du gouvernement, mais il faut bien noter qu'elle ne regroupe pas la majorité des chamanes, dont le nombre est estimé entre 100 000 (1 pour 400 habitants) et 200 000 (1 pour 200 habitants).*

CHAMANES ET CHAMANESSES

Les mudang *(prononcer moudang) sont les chamanesses coréennes. Ce terme générique recouvre diverses appellations provinciales. C'est une combinaison de deux caractères chinois dont l'un signifie chamanesse (mu) et l'autre temple (tang). Le mot* mudang *n'existe pas dans la langue chinoise. Les spécialistes coréens pensent qu'il veut dire : « chamanesse dansant dans le temple des dieux ».*

Les chamanesses sont au moins deux fois plus nombreuses que les chamanes appelés paksu mudang. *Les chamanes et les chamanesses sont originaires de toutes les couches de la société, mais ceux issus des couches les plus populaires semblent les plus nombreux.*

Les chamanes sont à la fois méprisés, marginalisés (personne ne souhaite le devenir), craints et indispensables à la société. Ils sont entre les dieux et les hommes. Ils se définissent eux-mêmes comme étant « au service des dieux pour le bien des hommes ».

On devient chamane parce qu'on appartient à une famille de chamanes et que la société ne vous permet pas de faire autre chose, ou bien parce que les dieux vous appellent par des rêves, des visions, des maladies, des malheurs et qu'ils ne vous laissent pas d'autres voies pour survivre. Dans ce cas, ce sont souvent des morts proches qui ouvrent le « pont de communication avec les dieux ».

A l'arrière-fond de la vie du chamane, la souffrance, la misère, la déréliction sont donc présentes, ce qui confère à ces derniers des capacités d'empathie remarquables, mais ce qui n'empêche pas les séances chamaniques d'être marquées par des épisodes comiques, par des moments de détente et de plaisanteries...

Dans la société traditionnelle coréenne, le chamane était placé dans la plus basse classe de la société, à côté des bouchers, des prostituées, des acteurs et des moines bouddhistes. Aujourd'hui, la mégalopole de plus de dix millions d'habitants qu'est devenue Séoul ne semble pas avoir étouffé les chamanes. Le brassage de population a atténué les distinctions de classe et, partant, les préventions contre les chamanes. Depuis le début des années quatre-vingt, une nouvelle génération de chamanes est apparue : les hommes semblent plus nombreux qu'autrefois, un grand nombre d'entre eux ont fait des études secondaires et certains mudangs sortent de l'Université. La société semble s'orienter vers la consommation de produits industrialisés, mais les chamanes n'en sont nullement exclus.

La médiumnité et le chamanisme coréen

UN POUVOIR FÉMININ

Le chamanisme s'est plus ou moins confondu avec le taoïsme et le bouddhisme en Chine et avec le shintoïsme et le bouddhisme au Japon, alors qu'il est autonome en Corée. Pourquoi ? Tout se passe comme si les moines bouddhistes avaient finalement échoué à contrôler le chamanisme et avaient consenti qu'il se charge, lui aussi, du domaine des esprits et des dieux. Tout se passe comme si les lettrés néoconfucianistes avaient concédé ce domaine aux femmes, à condition que les rites chamaniques soient utilisés pour la continuation de la lignée du mari, dans la continuité des traditions péninsulaires.

De leur côté, les chamanesses, exclues du pouvoir par ces idéologies dominantes, ont élaboré des pratiques qui leur ont permis d'assimiler les éléments nouveaux et de les manipuler selon les structures de leur pensée : le Bouddha donne, comme d'autres dieux, fils, enfants, richesses ; le rituel néoconfucianiste est dédié aux parents de l'époux, comme à ceux de l'épouse, et sert de support à un culte où les ancêtres parlent par la bouche du chamane. Il n'est alors pas étonnant que les chamanesses soient, au xxᵉ siècle, majoritaires, que les hommes-chamanes soient obligés de s'habiller en femme lors des cérémonies, que la clientèle soit composée de plus de 95 % de femmes.

Les chamanesses coréennes sont donc devenues non seulement les dépositaires et les actrices des traditions orales locales et familiales, des rythmes musicaux, des danses propres à la péninsule (les cérémonies chamaniques sont comme des musées vivants du coutume et de l'art populaire coréens), les championnes d'une manière féminine d'agir sur le monde, mais encore celles qui permettent de communiquer avec les défunts et de les guider vers « ce monde là-bas »...

CONSULTATIONS ET RITES

Les chamans et les chamanesses sont surtout consultés par.les femmes : les jeunes filles viennent pour des problèmes de mariage et de profession ; les femmes mariées pour leurs enfants, leur mari, la profession du mari ; les femmes d'âge mûr pour l'entrée à l'Université, le service militaire, l'avenir professionnel et le mariage de leurs enfants ; les grands-mères pour la naissance des petits-enfants, la prospérité de la famille et les... problèmes avec la belle-fille !

Ce qui est frappant dans les consultations c'est que, même pour une demande personnelle, l'individu n'est jamais traité isolément, mais toujours dans la constellation familiale. On s'aperçoit, alors, que l'un des traits dominants du discours chamanique est la préservation de la continuité de la lignée familiale.

Qu'est-ce qui distingue un devin d'un chamane ? Le chamane est toujours un devin, c'est la première étape à la rencontre avec son client. La divination est l'équivalent de l'examen médical, progressivement le diagnostic apparaît, les causes sont cernées (esprits domestiques qui n'ont pas été honorés, défunts partis sans viatique...), c'est la partie proprement divinatoire. Dans la majorité des cas, le chamane propose comme thérapeutique soit un petit rite où il officiera seul (prix entre 300 francs et 1 000 francs, à la bourse du client), soit une grande cérémonie, le kout, où seront convoqués d'autres chamanes (prix entre 3 000 francs et 10 000 francs). Ces rites sont de deux sortes : ceux pour la chance, la santé... et ceux pour conduire l'âme du défunt vers le « bon lieu » où doivent parvenir les morts. Au cours de ces rites, le chamane revêt les habits de l'esprit invité, incorpore ce dernier, saute, danse aux rythmes du tambour, mange les mets offerts, délivre des oracles et accorde sa protection.

Le moment le plus intensément vécu par la famille est celui où le défunt s'exprime par l'intermédiaire du *chamane : l'esprit de l'homme ou de la femme dont il s'agit est censé dire tout ce qu'il n'avait pas pu dire, voir ceux qu'il n'avait pas pu voir avant son décès, étreindre ceux qu'il aimait... Tout le monde pleure. Ses proches, entre deux sanglots, lui disent de partir, d'aller dans un « bon lieu » et de continuer à protéger et à aider les siens. C'est une sorte de théâtre des adieux, où chacun réalise son deuil. L'effet cathartique est patent. Les chamanes disent que ce moment est le plus épuisant pour eux*.*

QUELQUES EXEMPLES

J'ai pu assister en Corée à de nombreuses consultations et à des rites chamaniques. A Séoul, par exemple, au Temple des Maîtres nationaux, à l'occasion de la cérémonie pour le bonheur d'une famille, j'ai vu le chamane revêtir les habits des « Généraux divins », exécuter une transe, puis un exorcisme : à l'aide des drapeaux dits des cinq directions, il chassait les esprits errants. Après quoi, ces drapeaux étaient posés sur la cliente, en signe de protection, et le chamane déchirait au-dessus d'elle des morceaux de gaze verte, rouge et jaune, pour rompre tout lien avec les esprits vagabonds, considérés comme malfaisants.

Dans la cour d'une ferme proche de la ville de Sôngnam (province de Kyônggi), à l'aube, après avoir toute la nuit prié les dieux, invoqué les ancêtres, soudoyé les « convoyeurs de l'âme des morts », la chamanesse que je pouvais observer incorporait l'âme d'une jeune fille morte neuf jours auparavant. Munie d'un viatique déposé devant elle, la défunte était censée prendre congé de sa famille à travers la chamanesse qui parlait en son nom. La mère en deuil a demandé à l'esprit de sa fille d'aider ses deux frères et de partir

---

* Exactement comme les médiums occidentaux en des situations semblables.

dans un « *bon lieu* ». Puis, la chamanesse a déchiré avec sa poitrine le coupon de coton blanc appelé « *pont de lumière* », pour ouvrir à l'âme de la jeune fille le chemin de « *ce monde là-bas* »...

Voyons, à présent, l'aspect purement et simplement divinatoire du chamanisme coréen. Le considérant comme très significatif, je me contenterai d'évoquer le cas d'une chamanesse de la nouvelle génération, mademoiselle Chang, qui reçut d'ailleurs une éducation « *antisuperstitieuse* ». Je l'ai rencontrée en 1985. Elle avait seize ans et demi. Je lui ai demandé ce qu'on devait penser des prédictions ou prophéties faites par elle-même, ainsi que par les chamanes en général. Sa réponse a été enregistrée et la voici :

— *Les paroles des oracles sont justes. Dire qu'elles sont justes à cent pour cent, c'est mentir. Quand on reçoit une divination, franchement, tout n'est pas juste. Quelles que soient les faveurs spirituelles, ne dirait-on que des choses justes ? Une femme enceinte était venue me consulter. Elle était âgée. Elle allait mettre un enfant au monde. Je lui ai dit que l'accouchement serait difficile, de ne pas trop avoir confiance dans la clinique et de faire un rite. Elle me répondit :* « *Est-ce que c'est possible que ça m'arrive ? Je ne suis pas venue consulter parce que j'étais angoissée, mais parce que je m'ennuyais !* » *Après ces paroles orgueilleuses, elle est partie. Elle était venue avec cinq autres femmes. Trois mois plus tard, l'une de ses amies est revenue et a annoncé qu'elle venait de mourir après l'accouchement. J'ai eu l'impression que ma poitrine se déchirait. Puisque mes paroles sont ainsi justes, je ne dois pas parler aveuglément...*

Ce qu'il y a de remarquables, à mon avis, dans ces dires, c'est non seulement l'empathie, la modestie, la responsabilité qu'ils expriment, mais surtout la capacité d'analyse et de réflexion qu'ils révèlent. Peut-être, c'est là la marque de la nouvelle génération des chamanesses et chamans coréens.

LA MÉDIUMNITÉ
ET LE « CHANNELING »

Le docteur **Paul Gibier** a pu observer à maintes reprises Henry Slade, dans cet état particulier qu'ont les médiums, après s'être « vidés », de devenir le *porte-parole* d'un esprit :

> *... La première fois que nous l'avons vu dans cet état d'extase tout spécial (et qui n'a rien de religieux, hâtons-nous de le dire), l'accès débuta ainsi : d'abord une légère rougeur colora la face et une sorte de rictus fit contracter les muscles du visage; les yeux se convulsèrent en haut, et, après quelques mouvements nystagmiques des globes oculaires, les paupières se fermèrent énergiquement, un grincement de dents se fit entendre et une secousse convulsive de tout le corps annonça le début de la « possession ». Après cette courte phase pénible à voir, le visage du sujet s'anima d'un sourire et, la voix complètement modifiée ainsi que l'attitude, le personnage nouveau, Slade transformé, nous salua gracieusement, ainsi que chacun des assistants. Dans cet état de* transe *comme disent les Anglais (ou d'incarnation* suivant le langage des spirites français). Slade est remplacé — d'après ce que disent ceux qui le connaissent et d'après ce qu'il dit lui-même — remplacé animiquement par l'esprit d'un Indien nommé Owasso...* *

* Extrait de l'ouvrage *Le Spiritisme* (Ed. H. Durville).

En juillet 1991, sortait sur nos écrans *Warlock*, une réalisation du cinéaste Steve Miner, avec Julian Sands dans le rôle principal. A un moment donné, le héros se rend chez une dame capable de communiquer avec l'au-delà et lui demande si ses facultés médiumniques lui permettent de le mettre en rapport avec un esprit déterminé. Elle lui répond : « Je ne suis pas médium. Tout au plus, je fais du channeling. » Et pourtant, peu après, en acceptant de satisfaire son client, cette femme de Los Angeles donne les mêmes signes extérieurs de l'atteinte d'un état de transe (incarnation) que ceux décrits par le Dr Gibier.

UNE VOGUE QUI TRAVERSE L'ATLANTIQUE

Très à la mode un peu partout aux Etats-Unis depuis une quinzaine d'années, le *channeling* (canalisation, celle d'énergies, s'entend) a désormais ses adeptes en France. Mais ceux-ci affirment que leur méthode n'a rien ou, du moins, pas beaucoup en commun avec la médiumnité, et sont formels : les symptômes observés chez les médiums (et reconstitués lors du tournage de *Warlock* ou d'autres films) ne se manifestent jamais lorsqu'un individu pratique ce nouveau procédé destiné à abattre les frontières entre les univers visibles et invisibles.

FACILITÉ (RELATIVE) D'EXÉCUTION

Pour pouvoir pratiquer le channeling, il ne serait pas du tout nécessaire de posséder des dons médiumniques. Les personnes sans prédisposition à la clairvoyance, à la télékinésie, etc., peuvent obtenir des résultats...

Avant toute chose, s'impose ce que le professeur Fernand Schwarcz appelle un « traitement de fond ». Il consiste en une familiarisation avec les arts pour pouvoir accentuer la sensibilité et la réceptivité, ceci par le truchement d'activités artistiques quelconques. Ce premier travail doit s'accompagner d'une initiation au langage des symboles (puisque les messages captés seront, le plus souvent, des images à caractère symbolique, donc nécessitant un décodage).

Par la suite, il faut s'adonner à des exercices de concentration, à domicile comme à l'extérieur, au milieu de la foule (par exemple lors de l'utilisation des transports en commun), afin de pouvoir acquérir plus aisément la faculté qui permettra, au cours de la séance, une modification mentale et non la perte de conscience — impératif qui constitue la caractéristique fondamentale du channeling et, par là même, le différencie le plus de la médiumnité (un médium censé prêter sa voix à un esprit n'est habituellement jamais conscient des paroles ou phrases prononcées à travers son organe vocal).

Le troisième stade de la formation exige la programmation d'exercices qui, selon le tempérament de la personne concernée, autrement dit à sa guise, porteront soit sur la réduction, soit sur l'activation de ses activités motrices, de sa mobilité, de ses activités externes.

Ainsi, par exemple, pour réduire les stimuli externes et les stimuli moteurs, on demeure immobile, pendant un certain laps de temps, à genoux ou debout, en se laissant envahir par les notes d'une musique répétitive (ragas indiens, compositions de Phil Glass ou Steve Reich, etc.).

Au contraire, si l'on préfère aiguiser sa réceptivité par l'accroissement des stimuli externes et moteurs, il est indiqué de danser, se laisser entraîner par des rythmes musicaux extrêmement dynamiques, à aspect dionysiaque, c'est-à-dire aptes à faire naître la frénésie.

L'entraînement, de longueur variable selon les individus, dans l'un ou l'autre de ces procédés préparatoires permettra — nous dit le professeur Schwarcz — de passer à la phase de l'expérimentation. Les uns se concentrent sur la question posée couchés dans le calme, les autres font de même tout en poursuivant ou interrompant la danse (frénétique) qui les a aidés à se trouver en *état modifié de conscience*; ils se dégagent alors suffisamment de l'emprise de leur environnement pour intercepter des messages venant des esprits, mais sans perdre pour autant le contact avec le monde concret qui les entoure. Le grand avantage ? On demeure maître de soi-même, on ne s'expose pas aux « esprits nocifs » et, sur les plans à la fois psychique et physique, l'expérience n'occasionne pas de perte considérable d'énergie (la fatigue ou même l'épuisement propres à l'exploitation des facultés médiumniques sont évités).

Par ailleurs, il serait également possible de se glisser en état modifié de conscience après une veillée prolongée, mais aussi grâce à des exercices de relaxation centrées sur le contrôle du rythme respiratoire.

Le channeling est considéré comme le moyen qui permet de contacter *parfois* les esprits de personnes déterminées, mais qui sert, surtout, à la découverte de plans de la réalité habituellement ignorées, qu'il s'agissent des intelligences de la Nature ou de celles des forces cosmiques en général. Ce qui la rapproche des pratiques employés par les chamanes, par les « sorciers » Peaux-Rouges, ou encore au sein de certaines ethnies primitives d'Afrique, d'Australie, etc.

Les réflexions du professeur Schwarcz qui vont suivre offrent la possibilité de mieux connaître le rôle exact du channeling dans la vie moderne...

LA QUÊTE D'UN POUVOIR PERDU

L'esprit des hommes des sociétés traditionnelles n'a jamais conçu de séparation entre le visible et l'invisible.

La nature du réel dans tous les récits cosmogoniques se déploie de l'invisible à la lumière, du silence au verbe, du chaos à l'ordre. Les récits mythiques ont comme fonction essentielle de raconter comment les choses sont venues à l'existence, ils expriment les processus qui ont permis aux forces des origines (invisibles, silencieuses et chaotiques) d'organiser le monde créé, visible et ordonné.

Lumière, ordre et verbe rendent l'existence compréhensible à la raison, quantifiable avec des repères sûrs, où l'aléatoire et l'incertain semblent chassés à jamais. La stabilité règne. Mais, sans dynamique, l'existence se meurt et se condamne à l'usure.

La vie est mouvement et alternance ; ainsi, le pôle menaçant des forces matricielles des origines apparaît, face à celui de la création, comme son complémentaire et pas seulement son opposé, permettant la régénération et la réorganisation de l'existence.

La descente au royaume des morts, la lutte contre les dragons du chaos sont, parmi tant d'autres, des scènes universelles de la mythologie, pour signifier la quête d'un pouvoir perdu, d'une source de jouvence, d'une pierre rédemptrice, bref, la quête d'une régénération ou d'une transfiguration. Aucun exploit ne peut être accompli par le héros sans sortir du monde ordinaire (lumière, verbe, ordre) et y retourner, victorieux, régénéré, transfiguré, après avoir séjourné dans l'autre monde. Ordinaire et extraordinaire agissent ainsi comme les deux faces d'une même monnaie. En effet, visible et invisible, ordre et désordre, sont aujourd'hui reconnus par la science comme faisant partie de la logique du vivant.

Mais la logique rationaliste, ainsi que les spiritualités occidentales les ont tout d'abord opposés, puis ont fini par donner le beau rôle aux forces et catégories du visible, c'est-à-dire à notre ordinaire.

LA « COMPENSATION »

Aujourd'hui, l'imagination devient la « folle du logis » et le monde se désenchante, privé de rêve et d'extraordinaire. Lumière, verbe et ordre sont reconnus comme les seuls composants du réel. L'invisible est diabolisé. Le merveilleux est chassé.

Pour compenser, la société du toujours plus est née. Le règne de la quantité et de la consommation (usure) donne la mesure de nos exploits et de nos « rêves » : posséder toujours plus et changer le plus souvent possible, pour sortir d'un univers de plus en plus oppressant, où la recherche de sensations devient de plus en plus forte.

Si nos sociétés ont du mal, malgré de longs congés à se ressourcer ou se régénérer, c'est que leur contact avec l'invisible est devenu équivoque et culpabilisant.

Sexe, violence, terreur et morbidité sont autant d'expressions d'un besoin de s'évader de la vie ordinaire. Ils remplissent aujourd'hui les scénarios de films et d'émissions télévisées dans notre société en rapport déséquilibré avec les dimensions invisibles de l'existence, qui, bien que les niant, ne cesse pourtant de les consommer de façon détournée.

A l'extrême opposé et sous l'influence d'un orientalisme mal digéré, certains imaginent que le fait d'avoir eu une expérience avec l'invisible leur confère une puissance spirituelle telle qu'ils peuvent se considérer comme des êtres extraordinaires.

En réalité, le contact avec l'invisible est quelque chose de naturel, qui n'octroie aucun droit particulier sur autrui, pas plus qu'un quelconque grade spirituel.

La psychologie transpersonnelle prouve que nous passons tous, et tous les jours, par des états modifiés de conscience, c'est-à-dire par des altérations de notre état de conscience ordinaire, des altérations qui nous régénèrent, tel le sommeil par exemple, ou qui peuvent nous nuire, comme l'effet d'auto-hypnose pouvant être observé chez les automobilistes après plusieurs heures de conduite ininterrompue sur l'autoroute.

L'ÉTAT DE CONSCIENCE ORDINAIRE

Le rôle de l'état de conscience ordinaire est de rendre possible la vie quotidienne, nous précise Laura Winckler. L'état de conscience ordinaire favorise l'adaptation et permet aux individus de vivre et d'agir ensemble

avec des codes communs, issus de grilles culturelles
élaborées par les peuples, pour subvenir à leurs besoins
physiologiques, de sécurité et d'intégration sociale.

Notre état de conscience ordinaire ou normal, ainsi
que le définit le psychologue Charles Tart, est un outil,
une structure, un mécanisme d'intégration, qui nous
permet d'interagir avec une certaine réalité sociale
acceptée, un consensus de réalité.

Or, cet état (défini par un autre psychologue, Shor,
comme « l'orientation généralisée vis-à-vis de la réalité ») ne peut se maintenir que grâce à un effort actif
du mental, qui cherche constamment à le perpétuer.

Tout un processus de conditionnement, dont nous
sommes devenus inconscients, est nécessaire pour que
ces données soient fixées et déterminent des comporte-
ments acceptés de tous dans le cadre social.

Chaque génération doit donc réapprendre la « nor-
malité » à travers des cadres référentiels. Paradoxale-
ment, ces cadres diffèrent de culture en culture, mais
ils procurent aux individus de chaque culture l'impression d'un ensemble de certitudes, qui leur apportent un
sentiment de légitimité et de stabilité vis-à-vis d'autrui.

L'ÉTAT MODIFIÉ DE CONSCIENCE

L'état modifié de conscience, appelé aussi état de
transe, se produit, selon Shor, « lorsque le système de
référence à la réalité cesse temporairement de fonction-
ner et qu'il disparaît de l'attention consciente ». Si
bien qu'il se produit, alors, ce que Tart nomme une
« restructuration de la conscience », sur d'autres
bases, permettant l'accès conscient ou inconscient à
l'aspect invisible ou caché des choses.

Cette désintégration de l'état de conscience ordinaire
peut être produite par des phénomènes très divers : ils
peuvent être naturels et très variés, depuis l'absorption
totale dans une activité, jusqu'à la détente du sommeil
profond, mais ils peuvent aussi être conscients ou

volontaires, comme les états mystiques, de même qu'ils peuvent être provoqués artificiellement...

Mais attention, ils ne représentent, en eux-mêmes, aucun signe de haute spiritualité. Ils offrent simplement la possibilité de libérer de nouvelles énergies psychiques et permettent de faire émerger de nouveaux matériaux riches en sens jusqu'alors enfouis à l'intérieur de nous-mêmes, nous conduisant à la découverte de nouveaux aspects de la réalité. Leur présence est indispensable à l'équilibre psychique : dans le sommeil et dans le rêve, ils procurent une véritable régénération de l'organisme.

Les fonctions remplies par les états modifiés de conscience peuvent s'exprimer par un double mécanisme, selon qu'ils répondent à un manque ou à une recherche d'adaptation et d'intégration. Lorsqu'ils répondent à un manque, ils agissent en tant que mécanisme de compensation devant un état de détresse, donc de fuite, une tentative de résolution des conflits émotionnels. Echappatoire aux responsabilités et aux tensions, l'état modifié de conscience devient un refuge et une source d'isolement : un chemin de plus vers la maladie !... L'individu devient alors incapable de passer d'un état de conscience à un autre volontairement.

C'EST LORSQU'ILS REPONDENT A DES BESOINS D'ADAPTATION OU D'INTEGRATION DE NOUVELLES SITUATIONS OU DE NOUVEAUX DEFIS QUE LES ETATS MODIFIES DE CONSCIENCE SONT PORTEURS DE SOLUTIONS : GUERISON PAR TRANSE, INSPIRATION CREATRICE, NOUVELLES VOIES DE CONNAISSANCE ET DE CONSCIENCE PERMETTANT DE DECOUVRIR NOTRE REALITE INTERIEURE.

Selon C. Hardy, dans l'état modifié de conscience, le processus de pensée tend à se modifier, développant une capacité à penser par images et symboles. Cette plus grande visualisation favorise l'épanouissement de l'hémisphère droit, qui met en œuvre l'intuition, le sens de la globalité et la sensibilité artistique.

L'état modifié de conscience favorise l'accès à des modes de connaissance induite. A travers la fonction d'analogie, le symbole nous sort de l'emprisonnement de l'observable, qui manipule nos sens, et de l'emprise de l'immédiat. Au contraire du concept, le symbole peut porter de multiples significations dans une seule image-objet... alors que, pour le langage rationnel, celui de l'état de conscience ordinaire, chaque mot ne peut avoir qu'une seule signification.

Le rôle essentiel de l'état modifié de conscience consiste donc à provoquer une rupture du plan de conscience, pour lui permettre une réorientation vis-à-vis de la réalité, en sortant du système habituel de références apporté par l'état de conscience ordinaire.

VERS LE SACRÉ

L'état modifié de conscience est un outil et non un état spirituel supérieur. Il peut d'ailleurs être utilisé, comme l'a prouvé Ludwig, aussi bien pour le lavage de cerveau que pour la provocation de l'extase.

En fait, l'état modifié de conscience n'est qu'un moyen pour changer de plan de réalité. Si l'individu n'est pas prêt, il peut être possédé par ses propres pulsions, qui le domineront, ou alors, exactement comme le médium du spiritisme ou un sujet hypnotisé, devenir une entité passive, sous l'emprise de forces extérieures à lui.

Mais si l'objectif est transpersonnel, sans désir et ouvert, il est possible de développer une nouvelle voie d'accès à des informations, une source de régénération pour une transe profonde, en devenant un canal (channel, pour les Américains) en contact avec les entités et les intelligences invisibles de la Nature.

Le channeling implique un acte volontaire de lâcher prise sur son intellect, sur les réactions immédiates à tout ce qui n'est pas conforme à la « pure vérité », nous explique Erik Pigani.

A la différence du médium, qui ne se rappelle de rien après la transe, l'homme ou la femme qui est un « channel » conserve la mémoire de son expérience en tant qu'acquis conscient irréversible, lui permettant de réorganiser sa vision du monde, donc son état de conscience ordinaire. Et puis, l'adepte du channeling exerce une influence active sur lui-même et sur ses propres puissances inférieures, évitant ainsi de se faire posséder.

Au sein du channeling, c'est le passage conscient de l'état de conscience ordinaire à l'état modifié de conscience, et vice-versa, qui provoque une véritable évolution spirituelle. La libre circulation entre le visible et l'invisible libère notre conscience des a priori, encourage la remise en question, en tant qu'être en évolution, et nous oblige au pragmatisme quotidien, acceptant l'aléatoire et l'incertain. Elle nous amène à comprendre que l'unique source de stabilité est intérieure et pas un produit social.

La redécouverte du sens des états modifiés de conscience revalorise la fonction archaïque de l'extase... et nous ouvre de nouvelles voies pour vivre le sacré !

V

LE SPIRITISME AUJOURD'HUI

LE SPIRITISME ET L'OPINION PUBLIQUE

Allan Kardec était animé par le plus noble des idéaux : faire prendre conscience aux individus du monde entier de la nécessité absolue de faire le bien et d'atteindre un niveau spirituel élevé, afin que le séjour terrestre puisse les approcher de Dieu. Pour lui, le spiritisme était le grand livre dont chaque page prouve l'absurdité des préoccupations matérielles, des hostilités à l'échelon individuel ou international, des sectarismes, des mauvaises actions, mais aussi le grand livre qui considère la mort comme une transition d'une sorte de vie à l'autre...

L'intention kardécienne de proposer à l'humanité une conception existentielle constituant la synthèse des doctrines religieuses connues (pour ainsi dire une « super-religion », qui aurait uni dans la fraternité chrétiens, juifs musulmans, bouddhistes, etc.) devait se heurter aux réticences et même à la plus vive opposition de la plupart des églises concernées.

Les milieux scientifiques accueillaient avec semblable réserve ou défiance la naissance d'un mouvement qui paraissait capable de plaider la cause d'un *monde parallèle*. Les savants disposés à mettre en veilleuse leur optique rationaliste pour aborder l'étude de phénomènes attribués à des énergies occultes étaient peu nombreux.

Et puis, bien entendu, le message spirite rencontrait l'indifférence ou le mépris de tous ceux qui trouvaient commode de ne pas se soucier de l'après-mort, mais de tirer la meilleure partie possible des jours, semaines, mois ou années qui leur restaient à vivre !

Voilà pourquoi, presque partout, après avoir connu un essor considérable entre 1850 et 1920 environ, le spiritisme s'éloigna progressivement de la scène publique. Pour qu'un revirement se dessine, ne serait-ce que timidement, il a fallu attendre le « lancement » en Amérique (en Californie, plus précisément) d'un courant spiritualiste à inspiration orientale. Mais si, depuis les années soixante, spécialement chez les intellectuels, de plus en plus jeunes et de moins jeunes s'intéressent aux mystères de l'au-delà, les masses dans leur ensemble continuent à ignorer le sujet.

LA SITUATION ACTUELLE

Parfois, les médias parlent de spiritisme. Dans la majeure partie des cas, avec un scepticisme fort compréhensible, compte tenu des desiderata de la civilisation de consommation, qui serait lésée par une éventuelle orientation du public sur des valeurs non négociables. Seule, la presse spécialisée apporte à ses lecteurs des informations sujettes à maintenir l'intérêt pour les choses de « l'Autre Monde ».

Quoi qu'il en soit, des associations, cercles, clubs, etc. fondés déjà au siècle dernier ou de création plus récente poursuivent leurs activités.

En novembre 1990, a eu lieu à Liège une grande manifestation spirite à caractère international. Le Comité directeur de ce *Congrès Mondial du Spiritisme* était composé des présidents ou vice-présidents de la Confédération Spirite Européenne, de l'Union Spirite Française et Francophone, de la Fédération Spirite Espagnole, de la Fédération Spirite Brésilienne et de la Confédération Spirite Panaméricaine.

Le nombre des participants s'élevait à trois cents environ. Indépendamment des spirites belges, on dénombrait des délégations venues de onze autres pays :

l'Argentine, le Brésil, la Colombie, l'Espagne, les Etats-Unis, la France, la Grande-Bretagne, le Portugal, Puerto Rico, la Suède et la Suisse.

Vingt-deux orateurs ont pris la parole, pour évoquer le rôle actuel du spiritisme dans leurs pays respectifs. Dans le même temps, un symposium établissait le parallèle entre les médecines traditionnelles et les thérapies naturalistes et spirites.

En octobre 1991, à São Paulo (Brésil), se tenait une autre réunion spirite internationale d'envergure, avec le but plus spécifique de jeter les bases d'une future Confédération Spirite Mondiale, un objectif à l'ordre du jour du prochain Congrès Mondial du Spiritisme, prévu pour novembre 1992, à Madrid.

LE PHÉNOMÈNE BRÉSILIEN

Au Brésil, comme on le sait, les descendants de Noirs réduits en esclavage constituent une partie importante de la population. Pour la plupart, ceux-ci professent un catholicisme particulier, marqué aussi bien par l'animisme de leurs ancêtres arrachés au continent africain que par les croyances, pareillement animistes, des *Indios* jadis maîtres du pays. C'est ainsi que dans certains de leurs rites à façade pourtant chrétienne s'épanouit librement et obligatoirement la médiumnité. Les esprits de tel ou tel saint, de personnage mythique ou d'être cher perdu plus ou moins récemment sont régulièrement invoqués.

Connues sous l'appellation de *umbanda*, ces pratiques, qui florissent au Brésil depuis l'époque de la colonisation portugaise, sont devenues, à la longue, une sorte de « patrimoine national », connu de toutes les couches sociales.

Il est donc normal qu'à Rio de Janeiro ou dans le plus modeste des villages brésiliens, le spiritisme ne rencontre pas les obstacles habituels des pays où les habitants conçoivent mal qu'on puisse entretenir des rapports suivis avec les morts.

— Chez nous, au Brésil, le spiritisme a trouvé sa patrie d'élection, déclare le médium écrivain **Divaldo P. Franco.** Nous avons des groupes actifs innombrables, dans les grandes villes et dans les campagnes. Les autorités nous soutiennent, d'autant que plusieurs membres du gouvernement sont eux-mêmes des spirites ! Le spiritisme jouit d'une sympathie profonde et d'un respect inconditionnel dans l'opinion publique. Ceci s'explique pour des raisons d'ordre philosophique et religieuses, et par le rôle tenu par le spiritisme sur le plan social : des écoles, des hôpitaux, des dispensaires et des orphelinats ont été créés en grand nombre au Brésil grâce aux donations des spirites. Qu'ils aient ou non les moyens pour faire des donations, tous les spirites brésiliens participent de toute façon à la lutte contre la misère et la souffrance, en faisant le bien autour d'eux. Ils pratiquent la charité comme le préconisait Allan Kardec, que nous considérons comme le plus éminent apôtre des temps modernes...

Il reste à ajouter que Divaldo P. Franco donne lui-même le bon exemple. Ses livres — fort bien vendus au Brésil mais aussi en d'autres pays* — « se transforment » en médicaments, vêtements, denrées alimentaires et logements destinés aux déshérités, puisque ses droits d'auteur sont entièrement versés à une fondation spirite de bienfaisance.

Hélas, le spiritisme authentique demeure encore peu ou mal connu ailleurs. Un peu partout dans le monde, on continue à le confondre avec les jeux de société ou des démarches divinatoires. Peut-être cela va-t-il changer, tôt ou tard...

---

* Écrits en portugais, plusieurs d'entre eux ont déjà été publiés également en cinq autres langues, quatre titres en langue française.

LE SPIRITISME ET LES RELIGIONS

En Inde comme en Extrême-Orient, à l'exception des Occidentaux définitivement implantés ou résidents, les gens ne sont pas motivés pour expérimenter l'un ou l'autre des procédés du spiritisme. Les religions locales axées sur la théorie de la réincarnation ou, du moins, sur la pérennité de l'âme, ôtent tout attrait au spiritisme.

Les *moyens de communication avec l'au-delà* (nés aux Etats-Unis faut-il le rappeler) n'éveillent pas non plus le moindre intérêt dans les pays musulmans. Peut-être parce qu'ils ont été mis au point par des « infidèles » ?...

LE SILENCE MUSULMAN

Chef spirituel de la Communauté Schiite Musulmane en Occident, M. **Rouhani Mehdi** m'a expliqué :

— Le Coran observe le silence sur l'âme en général, mais précise qu'elle vient de Dieu et est formel quant à sa nature indestructible. D'après notre croyance, l'esprit divin lui-même, ou l'ange Gabriel, peuvent se manifester auprès des hommes. Un tel phénomène se produit lorsque Dieu veut inspirer les prophètes. Alors, ses messages sont révélés par le biais des rêves.

« Nous n'éprouvons pas le besoin de nous adresser aux esprits des hommes ou des femmes que nous avons aimés et qui nous ont quittés. Notre religion entoure l'après-mort d'un voile épais et il nous paraît inconvenant de le déchirer. La conviction de l'existence d'un paradis et d'un enfer suffit. Nous partons du principe suivant : l'autre monde est sacré, il ne faut pas en parler.

« Je dois le souligner, nos doctrines n'interdisent pas les pratiques qui font bénéficier d'oracles attribuables aux esprits. Moi-même, j'ai assisté une fois à une séance de spiritisme. Les personnes présentes se disaient satisfaites des réponses. A leur avis, ces réponses prouvaient l'omniscience des esprits convoqués. J'étais sceptique... »

L'OBJECTION CATHOLIQUE

En juin 1991, quand j'ai téléphoné à l'attachée de presse de l'Archevêché de Paris, pour lui demander de bien vouloir me mettre en rapport avec un prélat susceptible de me renseigner au sujet de l'attitude actuelle de l'Eglise à l'égard du mouvement spirite, elle m'a répondu, fort sèchement d'ailleurs :

— Le spiritisme ?!... Le moins on en parle, mieux ça vaut !... Présentez votre requête par écrit.

Je n'ai pas perdu mon temps à le faire, mais me suis tourné vers un cher ami, le Dr **Louis Vidal.** Par personne interposée, il devait me mettre en contact avec le **père Jean Vernette,** dont j'allais obtenir la très aimable autorisation de reproduire son article paru dans le journal La Croix, en avril 1990 :

Pouvons-nous communiquer avec nos morts ?
Quelques points de repère pour le discernement.

Communiquer avec l'au-delà est un rêve aussi vieux que l'humanité. L'antique nécromancie, technique immémoriale d'évocation des défunts, était très prisée des religions anciennes. Le spiritisme, au siècle dernier, utilisait une multitude de procédés : des tables tournantes aux médiums. Il revient en force aujourd'hui dans les salles de classe, où l'on joue au verre parlant, dans les cabinets de voyants, où l'on cause gentiment avec les disparus.

On fait aussi un grand état des rencontres d'habitants de l'autre rive, qu'ont pu faire certains « rescapés de l'au-delà » revenus d'un coma avancé. Et plus d'un Français sur quatre croit à la réincarnation et à la possibilité de communiquer avec les « désincarnés », en attente d'une nouvelle existence terrestre. Le best-seller de l'actrice Shirley Mac Laine, sur sa communication avec les entités de l'au-delà par « channeling », L'Amour foudre, a été tiré à plus de trois millions d'exemplaires, assorti d'un film qui fait courir les foules américaines. Certains affirment même pouvoir enregistrer en direct les voix et les visages de nos disparus sur la bande magnétique du magnétophone ou du vidéoscope.

De tous temps, certes, on a fait état de messages et « signes de vie » en provenance des habitants de l'au-delà. Mais aujourd'hui c'est un « rush » parallèle à une montée en puissance de l'irrationnel. Et des chrétiens s'interrogent, parce qu'on voit des croyants déclarer se faire les porte-paroles auprès du grand public de ces modes de communication audiovisuels*, ou des mamans fort chrétiennes faire connaître avec chaleur, dans de nombreux livres, des messages de haute élévation spirituelle, reçus par « locutions intérieures » ou écriture automatique, de leurs enfants décédés.

Un discernement s'impose alors. Le mérite de ces auteurs est d'avoir ouvert un dossier que l'on avait voulu clore définitivement par rationalisme étroit. Car il existe bel et bien un monde invisible : Dieu est « créateur de l'univers visible et invisible ». Et des personnes de vive sensibilité peuvent se sentir plus particulièrement accordées à cette interface subtile de l'ici-bas et de l'au-delà. Mais, en ces domaines, le contrôle de la raison et du jugement objectif s'exercent

---

* Par exemple, F. Brune : *Les morts nous parlent* (Ed. du Félin).

*moins aisément. Dégageons donc quelques points de
repère assurés pour le discernement*.*

*Nombre de mystiques de la tradition chrétienne
attestent l'existence d'une communication avec les
habitants de l'au-delà et, tout d'abord, d'une rencontre
personnelle du Christ ressuscité : de saint Paul sur le
chemin de Damas à saint François d'Assise, sainte
Gertrude, saint Jean de la Croix ou sainte Marguerite-
Marie. Les objections n'ont pas manqué dès les premiers temps pour mettre en doute l'authenticité de ces
expériences. Toutes proportions gardées, ce sont des
objections analogues que l'on fait valoir contre la
possibilité d'une communication avec les habitants de
l'autre rive.*

« C'est irrationnel ! »*... Mais n'y a-t-il pas deux
modes de connaissance : par la raison et par le cœur ?
Et ce n'est pas parce que l'au-delà échappe aux prises
directes des sciences d'observation que l'on doit en nier
l'existence.* « C'est incontrôlable ! »*... Mais Bergson
faisait déjà remarquer qu'un des signes de validité de
l'expérience mystique, signe parfaitement contrôlable,
était l'accord de tous les spirituels sur son contenu.
Ainsi en est-il de l'expérience authentique de l'au-delà.*
« C'est pathologique ! »*... Ces phénomènes seraient le
fruit d'esprits troublés ou malades, des hallucinations.
Mais on extrapole ici de quelques cas avérés d'illusion
maladive à l'ensemble des relations avec l'univers
invisible. Le même Bergson note, à ce propos :* « on
pourra parodier le mysticisme et il y aura une folie
mystique ; suivra-t-il que le mysticisme est folie ? ».
*On pourra de même parodier la communication avec
l'au-delà ; suivra-t-il que toute communication avec
ses habitants est pathologique ?...*

*L'apôtre Paul fait intervenir alors ici un critère de
discernement de solide type spirituel :* Quels sont les

---

* Ces perspectives sont développées dans l'ouvrage du père Vernet
intitulé *Pouvons-nous communiquer avec l'au-delà ?* (Ed. Bayard-
Presse Centurion).

fruits de cette expérience? *Joie, paix et assurance?*
Ou confusion, trouble et inquiétude? Et les maîtres
spirituels de toutes religions invitent à la plus grande
prudence en ces domaines où l'esprit des ténèbres se
plaît à se déguiser en ange de lumière. Car, à appeler
inconsidérément des êtres du monde invisible, on ne
sait pas trop qui va répondre. Il n'est qu'à voir la
pauvreté de certains « messages » de l'au-delà. Et des
gens au psychisme fragile peuvent être conduits à
l'asile ou à certaines formes de « possession ». On
comprend alors la sévérité de la Bible, quand elle alerte
vigoureusement sur la manière maligne dont l'esprit
embrouilleur (le « diabolos », selon l'étymologie grec-
que) sait se faufiler par toutes les portes qu'on entre-
bâille : On ne trouvera chez toi personne qui interroge les esprits ou qui invoque les morts!
(Dt. 18,10.11.)

C'est qu'il existe une voie saine, tonique et sûre pour
communiquer avec nos disparus. Mais par d'autres
moyens que le téléphone ou le guéridon parlant : la
« Communion des Saints ». Qu'est-ce à dire?

Nos disparus nous sont présents, d'une présence
spirituelle et réelle, invisible mais bien vivante. Nous
sommes d'autant plus proches d'eux que nous
essayons d'être plus proches de Dieu et ils sont
d'autant plus proches de nous qu'ils sont plus proches
de Lui. Car ils vivent alors de sa vie. Ils gardent toute
leur personnalité, leur caractère, leurs affections et leur
tendresse. Ils continuent à nous aimer, de tout leur
cœur. Le lieu privilégié de la rencontre n'est pas alors le
cabinet du médium ou la cabine d'enregistrement des
messages audiovisuels, mais l'Eucharistie. Quand la
communication mutuelle est assurée par la vie même
de Dieu, sur laquelle nous sommes chacun
« branchés » comme des sarments sur le même cep de
vigne.

Mourir, ce n'est donc pas « s'en aller » définitive-
ment. C'est aussi revenir vers les siens et nouer avec
eux une entente invisible mais réelle. Parfois, en

*donnant des « signes de vie ». Mais ils sont exception-
nels. Et il serait aussi présomptueux de les exiger que
de s'attrister de ne pas en avoir. Car là n'est pas
l'essentiel.*

Jean Vernette

Par ailleurs, le collaborateur de l'abbé Vernette qu'est
le **père F. Bauddry** a eu l'extrême gentillesse de me faire
la communication suivante :

*Le livre du Lévitique, au début de la Bible, condam-
nait déjà les pratiques de divination, de nécromancie...
L'Ecriture Sainte met en garde l'homme contre sa
prétention orgueilleuse (et illusoire) de contacter et de
contrôler des forces bénéfiques ou maléfiques au-delà
de son horizon habituel, quand ce n'est pas l'Esprit de
Dieu lui-même ! Relayant des pratiques de sorcellerie et
magie, le Nouvel-Age prône ce genre de domination
(channeling).*

*Lorsque Dieu, « l'Ange du Seigneur » (euphémisme
pour préserver la transcendance divine) ou un saint,
une sainte défunts se manifestent à l'homme par songe
ou vision, c'est toujours « l'au-delà » qui prend l'initiative pour le bien du bénéficiaire. Il en va de même
pour les apparitions mariales, accueillies humblement
dans la foi, en référence au donné révélé, qui sert de
critère de discernement, pour évaluer...*

LE TABOU JUIF

Sur la recommandation du Dr Illouz, un ami, j'ai pris
la liberté de consulter un éminent rabbin parisien, mais
celui-ci devait me dire :

— Le spiritisme est quelque chose dont je refuse de
parler.

La réaction était identique chez deux autres serviteurs
dévoués de Jehovah. Finalement, l'un de mes amis juifs

234

m'a permis de comprendre d'où venait ce « non » catégorique :

— La religion israélite s'oppose formellement à toute investigation sur le présent ou l'avenir des morts. Nous pouvons garder en notre mémoire l'image des défunts, prier pour eux ou même espérer les retrouver après notre mort, mais ça s'arrête là. Avec le trépas, se crée entre les vivants et les morts un fossé qu'il est rigoureusement interdit de franchir. Le simple fait d'envisager une communication quelconque constitue déjà un grand péché. A plus forte raison, notre religion condamne ceux qui transgressent la Loi sacrée en essayant d'arracher les morts à l'univers où ils appartiennent jusqu'à leur résurrection. En fait, la faculté éventuelle des esprits de se manifester à nous n'est ni niée ni affirmée. Et, pourtant, c'est un thème qu'on doit s'abstenir d'évoquer. Il s'agit, là, d'un tabou scrupuleusement respecté par tous les rabbins.

LES CONTRADICTIONS PROTESTANTES

Prié de m'éclairer, le révérend **Istvàn Karasszon,** de l'Eglise Réformée de Hongrie, ne m'a pas caché son embarras :

— Cher ami, la tâche dont vous me chargez est lourde. Préciser quelle est la position des églises protestantes à l'égard du spiritisme n'est guère aisé. Apparemment, ce domaine échappait complètement à nos réformateurs du xvie siècle.

« Moi-même, j'avais l'intention, récemment, d'écrire un essai sur le rôle du surnaturel, de la démonologie en particulier, au sein des ouvrages majeurs de la Réforme mais j'ai dû y renoncer, n'ayant pas pu réunir une documentation suffisante. A part quelques allusions à certains passages bibliques, aucun élément intéressant ne m'est apparu.

« Et puisque les réformateurs firent abstraction de ce thème — pour eux, il s'agissait là de quelque chose de

secondaire — il est normal que les protestants d'aujour-
d'hui aient des attitudes contradictoires à ce sujet.
Certains s'en désintéressent purement et simplement, le
passant sous silence et se comportant comme si le
spiritisme n'existait pas. En revanche, les protestants
d'orientation « fondamentaliste », comme par exemple
ceux de l'Académie libre d'Aix-en-Provence, sont portés,
en général, à condamner fermement le spiritisme, comme
le firent les catholiques du Moyen Age, à une époque où
ces pratiques étaient connues sous le nom de nécromancie. Par ailleurs, mais très, très rarement, quelques
milieux protestants réservent un accueil résolument
favorable aux théories avancées par les porte-parole du
spiritisme.

« Cela dit, il est extrêmement improbable que nous
puissions découvrir, au sein de la théologie protestante
actuelle, des études qui cherchaient à faire le tour du
problème objectivement et méticuleusement. Ce qui semble d'ailleurs évident, à la lumière de ce que je viens de
dire. Mais si jamais la chose se produit, on préférera sans
doute distinguer spiritisme et parapsychologie. Le premier est considéré comme un sujet qui relève de la
superstition, tandis que l'authenticité des phénomènes
parapsychologiques n'est jamais niée, car un protestant
voit en eux la confirmation de la potentialité humaine de
dépasser les frontières matérielles. Même le plus incompréhensible de ces phénomènes fera alors l'objet d'une
tentative d'explication rationaliste. Derrière une telle
tentative se cache le désir de l'appropriation, évidemment. Il n'est pas sûr, cependant, que le but puisse être
atteint...

« Notez que les théologiens protestants attirés par les
phénomènes de ce genre ont tendance à s'éloigner du
domaine de la théologie, pour se spécialiser dans celui de
la parapsychologie. Ceci démontre à quel point spiritisme et parapsychologie demeurent des sujets qu'il est
impossible, dans l'immédiat, d'approcher pour la théologie protestante.

« Je me demande si ces réflexions pourront vous être de

quelque utilité. Malheureusement, le protestantisme est un courant religieux plutôt « rationaliste », ce qui explique d'ailleurs pourquoi il traverse de nos jours une période critique... »

LE SPIRITISME ET LA SCIENCE

— ... Tout ce qui n'est pas mesurable, contrôlable, reste étranger à la science et il m'est impossible d'exprimer un avis quelconque à ce sujet, m'a dit l'un de mes aimables voisins, spécialiste de réputation internationale de la physique nucléaire.

Comme lui, presque tous les scientifiques s'abstiennent de déclarations relatives aux pratiques spirites ou alors en parlent avec le plus grand mépris. Les rares chercheurs à optique différente prennent d'autant plus volontiers la relève de certains de leurs confrères du siècle dernier ou du début de notre siècle qu'il est désormais licite d'attribuer les phénomènes constatés à la possession d'une faculté parapsychologique.

Se laissent-ils entendre des bruits étranges ? Des ampoules électriques, des bouteilles, des verres, etc. éclatent-ils sans raison apparente ? Des meubles et des objets divers se déplacent-ils, allant parfois jusqu'à s'envoler ?... Tout ceci serait dû *uniquement* à la puissance des énergies encore mal définies dont disposent certains individus.

Les lévitations de personnes et les matérialisations, c'est-à-dire les manifestations les plus étonnantes de la médiumnité, sont attribuées, à leur tour, aux ressources humaines encore mal connues.

La concordance entre les réponses obtenues par voie de spiritisme et des événements déterminés du passé ou du présent serait le fruit de la télépathie ou d'autres facteurs semblables (inconsciemment, l'homme ou la femme concernés révéleraient des données emmagasinées dans la mémoire), alors que les éléments en rapport avec le futur découleraient de la capacité peu commune qu'ont parfois les êtres humains de « sentir venir les choses », exactement comme les animaux...

L'IMPOSSIBLE ET L'INEXPLICABLE

Directeur de l'Institut pour les zones frontières de la psychologie et de l'hygiène mentale, à Freiburg im Brisgau (Allemagne), la sommité en la matière qu'est le professeur **Hans Bender** estime, à propos des tables tournantes, de l'écriture automatique, etc., que ces phénomènes ont pour cause des « *automatismes psychiques, sorte de vases communicants de l'Inconscient* » ; il ajoute : « *pour ce qui est des tables tournantes, c'est le déplacement inconscient du poids des mains des participants qui provoque la remontée du contenu subconscient ; et avec le pendule tenu au-dessus des lettres, ce sont des mouvements musculaires involontaires* ».
Mais, en abordant le sujet de la médiumnité, après avoir fait allusion aux consultations actuelles ayant pour cadre le *College for Psychic Studies* (Londres) ou le cabinet de certains médiums professionnels, il écrit ceci * :

> *La querelle entre adeptes de « l'animisme » et adeptes du « spiritisme » — pour les uns la cause du phénomène réside dans les facultés de personnes vivantes, pour les autres d'une liaison avec des défunts — se poursuit depuis des siècles. Si l'on veut rester objectif, il faut reconnaître qu'il n'est pas possible de prouver ni que l'hypothèse spirite est vraie ni qu'elle est fausse. Cependant, la longue expérience accumulée par*

* *L'Univers de là Parapsychologie* (Ed. Dangles).

la parapsychologie permet de dire que l'explication animiste est plus vraisemblable et plus probable, bien qu'il soit impossible de prouver l'impossibilité de l'explication spirite.

Un peu plus loin, le professeur Bender évoque le cas du médium Eusapia Paladino, rend hommage à ses exploits (« *Dans des conditions de contrôle favorables, des tables montèrent en l'air, des instruments de musique jouèrent, des rideaux formèrent des vagues, pour ne citer que quelques-uns des phénomènes.* ») et poursuit :

> *... Il faut souligner ici le niveau éminent des recherches entreprises à son sujet, recherches auxquelles participèrent un grand nombre de physiciens, de physiologistes et de psychologues de réputation mondiale, comme d'Arsonval, Bergson, Babinsky, Langevin et les époux Curie, qui avaient découvert le radium. Cette commission aboutit, en collaboration, entre autres, avec un groupe d'experts en truquages envoyé d'Angleterre à Naples, en 1910, par la « Society for Psychical Research », à des conclusions positives. Dans un rapport circonspect, on peut lire que «* LES RESULTATS CONSTITUENT L'UN DES TEMOIGNAGES LES PLUS ECLATANTS ET LES PLUS DECISIFS EN FAVEUR DU CARACTERE INEXPLICABLE DES PHENOMENES PRODUITS PAR EUSAPIA, DANS LA MESURE OU QUELQUE CHOSE PEUT ETRE DECISIF EN MATIERE SCIENTIFIQUE. »

TRANSE MÉDIUMNIQUE ET PATHOLOGIE MENTALE

La peinture médiumnique compte aussi parmi les phénomènes spirites qu'on croit avoir pu démystifier. Le psychiatre d'origine hongroise **Imre Szecsödy**, qui exerce depuis quelques dizaines d'années à Stockholm, m'a dit :

— La transe de celui qui dit agir sous l'influence d'un « artiste de l'au-delà » est assimilable à celle des aliénés qui, sans aucune formation et sans savoir ce qu'ils font, peignent souvent des œuvres absolument remarquables. Sous l'effet de la veillée, le peintre prétendument médiumnique se trouve dans un état particulier : son cerveau s'égare au milieu du *no man's land*, qui se situe entre la démence et l'extrême limite de la créativité spontanée et consciente.

Et, pourtant, l'expérience vécue par mon ami peintre **Henri Gineste** nous renvoie à une conclusion sensiblement différente :

— ... Au début de ma carrière, pendant une longue période, je peignais exclusivement la nuit. Je travaillais à une vitesse étonnante. Après, je me retrouvais devant des tableaux qui me surprenaient. J'avais l'impression qu'ils avaient été peints par un « deuxième moi » ou, plus précisément, par moi, bien sûr, mais grâce à des pulsions créatives originaires d'une dimension « autre ». Artistiquement, ces peintures avaient de l'intérêt et, d'ailleurs, trouvaient des acquéreurs, sans exception.

« Toujours à cette époque, je commençais à m'intéresser à diverses formes d'occultisme, ainsi qu'au bouddhisme tibétain. J'ai même entrepris des exercices censés me faire acquérir le « troisième œil ». Tout ceci allait de pair avec la continuation du travail nocturne. Il en résulta un surmenage... qui devait m'emmener tout droit à l'asile psychiatrique !

« Les médecins ont rangé mon mal sous l'étiquette de « délire mystique ».

En tout cas, pendant mon internement, entre les crises violentes qui se produisaient — souvent, on m'appliquait la camisole de force et on m'isolait dans une pièce qui mesurait un mètre sur deux —, je continuais sinon de peindre, du moins de dessiner.

« Considéré comme guéri au bout de trois mois, je pouvais comparer ces dessins faits à l'asile avec mes tableaux réalisés en état de « transe médiumnique ». Eh bien, il y avait une nette différence. Autant les premiers présentaient toutes les caractéristiques chaotiques de la démence, autant les deuxièmes étaient convenablement structurés, d'un aspect pas pathologique du tout. »

En somme, aucun aspect du spiritisme pratique n'est désormais à l'abri des recherches. Physiciens, physiologistes, psychiatres, psychanalystes et parapsychologues travaillent main dans la main et leur croisade a pour but d'écarter définitivement l'hypothèse d'*interférences extérieures*, qu'il s'agisse des tables tournantes ou de n'importe quel autre volet typique du spiritisme.

Mais il est temps, maintenant, de tourner la page, car...

LE CERCLE SE REFERME

Pour en rester au plus populaire des procédés spirites, les scientifiques partent donc du principe que le léger soulèvement ou même l'éventuelle « danse aérienne » d'une table plus ou moins lourde est provoqué grâce aux *facultés de psychokinésie* des participants à la séance, et ceci même lorsque leur volonté n'intervient pas.

Malheureusement pour eux les vérifications effectuées en laboratoire, depuis 1966, à Moscou et à Leningrad (redevenue, depuis, Saint-Pétersbourg), ont prouvé que la célèbre **Nina Mikhailowa-Kulagina,** tout en exploitant à fond sa volonté au point d'être épuisée après chaque expérimentation, *pouvait faire déplacer des objets dont le poids ne dépassait jamais les cinq cents grammes.*

Ce détail non seulement confirme la « perte de vitesse » des médiums d'aujourd'hui (D. D. Home avait réussi à faire léviter un piano à queue, celui de la comtesse Orsini, à Florence, en 1855), mais encore rend plus encore difficile à concevoir que les énergies de disons huit personnes réunies autour d'une table puissent aboutir à ce que celle-ci s'envole : à condition que chaque participant ait une faculté psychokinétique exceptionnellement optimale, huit fois 500 grammes permettraient de soulever une table qui ne pèserait pas plus de 4 kilos ! Et c'est ainsi que, même si c'est contre toute logique, l'idée selon laquelle les phénomènes du spiritisme seraient effectivement produits par des forces inconnues, impossibles à « mesurer, contrôler », paraît justifiée.

Le premier des témoignages réunis dans ce livre avait pour protagoniste principal un « guéridon vengeur ». A présent, *le cercle se referme* avec un cas semblable et deux autres, qui ont en commun la particularité d'échapper aux explications rationalistes.

UNE QUESTION IMPORTUNE

— Ce soir-là, nous avons décidé, ma cousine et moi, d'improviser une séance de spiritisme. Passionnée des belles choses, elle possède des meubles de valeur et, entre autres, un magnifique guéridon Régence, qu'elle adore et dont nous allions nous servir. Il n'y avait aucune raison pour que, consciemment ou pas, elle ou moi voulions provoquer l'endommagement de ce meuble.

« Après diverses questions, sceptique autant que moi je ne le suis pas, ma cousine a demandé si l'enfer existait réellement. Alors, le guéridon, qui pesait pourtant une bonne vingtaine de kilos, s'est subitement soulevé avec force, irrésistiblement, fuyant nos mains qui essayaient de le retenir. Il est monté jusqu'au plafond. Au bout de quelques secondes — et nous avons à peine eu le temps pour nous écarter —, il est retombé. Sa remise en état a coûté presque deux mille francs... »

A ce témoignage de Dorothée Koechlin de Bizemont succède celui d'un médecin italien, le **Dr N. Francesco Teti,** généraliste et pédiatre actif à Rome.

L'EFFET BOOMERANG

— En août 1976 je dînais un soir chez des amis et, après le café, j'ai eu droit à l'inévitable *verre parlant.* J'espérais pouvoir découvrir une supercherie quelconque, persuadé de l'impossibilité d'une authentique communication avec les esprits. Pour commencer, j'ai demandé qu'on me précise à qui j'avais rêvé la nuit précédente.

« Le nom et le prénom du confrère récemment décédé dont il s'agissait, ont été révélés immédiatement. Quoi de plus évident ? Je pensais que mes amis avaient réussi à capter ces données par télépathie, puis à manipuler le verre en conséquence.

« Ensuite, j'ai demandé quel était le numéro d'immatriculation de la nouvelle voiture de ma femme, un numéro que j'ignorais complètement. La réponse obtenue, je me suis empressé de téléphoner à ma femme. Elle ne connaissait pas encore le numéro par cœur et m'a fait patienter quelques instants, le temps de chercher son portefeuille. Puis, carte d'immatriculation en main, elle m'a renseigné...

« Je l'avoue, j'étais plus qu'étonné. Les chiffres étaient exactement les mêmes que ceux désignés sur le carton par le verre. Et, cette fois-ci, je ne disposais d'aucun argument parapsychologique ou autre pour me rassurer.

« Mon scepticisme devait être puni par une sorte d'effet boomerang : pendant des jours et des jours, j'allais être comme obsédé par le souvenir du verre qui s'était arrêté devant les cinq chiffres et la lettre de l'alphabet donnant la réponse correcte à ma question. »

Pour terminer, voici le récit de la belle-sœur de **Margit Kocsis,** peintre hongroise née à Java (Indonésie), en 1941 et décédée le 12 décembre 1984, aux Pays-Bas :

PROMESSE GARDÉE

Margit savait que le cancer ne lui laisserait pas beaucoup de temps à vivre, mais elle acceptait ses souffrances atroces avec le plus grand courage et faisait de son mieux pour nous remonter le moral, à son frère, c'est-à-dire à mon mari, et à moi, nous disant sans cesse qu'il n'y avait aucune raison pour désespérer, car elle continuerait à exister, mais « autrement ». A la veille de son dernier jour parmi nous, elle a même ajouté : *Vous le verrez, que je dis la vérité, je vous le prouverai plus tôt que vous ne le pensiez. Je vous donnerai de là-bas un signe, qui vous permettra de comprendre que je reste près de vous, que je vous protège à jamais...*

« Elle est morte vers le milieu de l'après-midi. Le médecin et l'infirmière sont partis, nous avons donné congé aux domestiques et sommes restés à la veiller, mon mari et moi, jusqu'à minuit environ. Puis nous nous sommes couchés. Exténués par nos nuits blanches ayant précédé la fin du calvaire de Margit, nous nous sommes endormis presque immédiatement, d'un sommeil très lourd, d'autant que nous avions pris des somnifères pour être sûrs de ne pas rester éveillés sous le coup de la tension nerveuse et du chagrin.

« Au matin, j'étais la première à me lever. De la salle de bains, je suis allée dans la chambre de Margit. Et je n'ai pas pu m'empêcher de pousser un cri. Son corps demeurait étendu sur le lit, le visage recouvert par son foulard préféré, exactement comme nous l'avions laissé avant de nous coucher. Mais, au milieu de la pièce, tous ses objets personnels, y compris le contenu de son trousseau de maquillage étaient éparpillés sur le sol. Or, tous ces objets avaient été dûment rangés dans le meuble de chevet, dont les tiroirs étaient à présent ouverts...

« Je ne sais combien de temps la forte émotion m'a empêchée de bouger. Finalement, j'ai réveillé mon mari, qui dormait encore. Avec lui, je suis retournée dans la chambre de Margit. Lui aussi a eu un choc. Puis, il a commencé à examiner la pièce de fond en comble. Et nous avons découvert un autre des signes promis par sa sœur. La photo encadrée où on pouvait la voir en notre compagnie ne se trouvait plus sur le chevalet miniature qui était sa place habituelle. Elle gisait sur la moquette. Or, d'une part cette moquette était épaisse, d'autre part le chevalet en question avait une hauteur d'à peine quarante centimètres. Normalement, la chute n'aurait pas dû provoquer le moindre dégât. Mais ce n'était pas le cas. Le verre était complètement cassé, comme s'il avait explosé et, ce qui nous a bouleversés le plus, la partie de la photo qui montrait Margit était déchirée, au niveau du visage... »

Il me semble que ce témoignage mérite d'occuper une place privilégiée dans le dossier où sont réunies les « pièces à conviction » aptes à prouver que la mort ne constitue pas en soi une...

FIN

La plus profonde gratitude est exprimée à :
Mesdames : Bambou, Odette Barat, Claudia Bonmartin, Dorothée Koechlin de Bizemont, Arlette Didier, Régine Defransures-Gleyses, Rose Lambert, Maguy Lebrun, Martine Westphal.
Messieurs : Père F. Baudry, Leny Escudero, Divaldo P. Franco, Henri Gineste (†), Marcel Gobineau, Serge Gainsbourg (†), Alexandre Guillemoz, Rév. Istvàn Karasszon, Jean-Jacques Lambert, Rouhani Mehdi, Gian-Carlo Menotti, Fernand Schwarcz, Giorgio Sciotto (†), Louis Serré, Dr N. Francesco Teti, Henri Tisot, Pierre Vally, Mihàly Viràg, abbé Jean Vernette, Dr Louis Vidal, Wilhelm Zimmerhackl.

... ainsi qu'à tous ceux qui ont pareillement bien voulu faciliter la naissance de ce livre, par leurs témoignages ou documentations, mais préférant garder l'anonymat.

BIBLIOGRAPHIE
SÉLECTIVE

BENDER Hans, *L'univers de la parapsychologie*, Editions Dangles.

BERGE Christine, *La voix des esprits*, Editions Métailié.

DOYLE Conan *The history of spiritualism*, Psychic Press Ltd.

GIBIER Paul *Le spiritisme*, Henri Durville éditeur.

JACOLLIOT Louis *Le spiritisme dans le monde*, Editions Slatkine.

KARDEC Allan *Le livre des esprits*, Dervy-Livres.

KARDEC Allan *Le livre des médiums*, Dervy-Livres.

KOECHLIN DE BIZEMONT Dorothée *L'univers d'Edgar Cayce*, Ed. Robert Laffont.

LANDREAUX-VALABREGUE Jackie *La médiumnité*, Ed. Robert Laffont.

MOINE Françoise *D. D. Home, médium des princes*, R.T.L. Edition.

VICTOR Jean-Louis *L'autre côté de la vie* Editions F.-G. France.

Achevé d'imprimer
en juin 1993
par Printer Industria Gráfica, S.A.
08620 Sant Vicenç dels Horts
Depósito Legal: B. 36136-1992
pour le compte de
France Loisirs
123, Boulevard de Grenelle,
Paris

Numéro d'éditeur : 22510
Dépôt légal : juin 1993
Imprimé en Espagne